E. T. A. Hoffmann
Der Sandmann

Mit einem Kommentar
von Peter Braun

Suhrkamp

Der vorliegende Text folgt der Ausgabe:
E. T. A. Hoffmann: *Der Sandmann*, in: E. T. A. Hoffmann:
Sämtliche Werke in sechs Bänden. Herausgegeben von Wulf
Segebrecht und Hartmut Steinecke unter Mitarbeit von Gerhard
Allroggen und Ursula Segebrecht. Band 3: *Nachtstücke. Klein
Zaches. Prinzessin Brambilla. Werke 1816–1820.*
Herausgegeben von Hartmut Steinecke unter Mitarbeit von
Gerhard Allroggen. Frankfurt am Main: Deutscher Klassiker
Verlag 1985, S. 11–49.

Originalausgabe
Suhrkamp BasisBibliothek 45
Erste Auflage 2003

Satz: pagina GmbH, Tübingen
Druck: Nomos Verlagsgesellschaft, Baden-Baden
Umschlagabbildung: Archiv für Kunst und Geschichte, Berlin
Umschlaggestaltung: Hermann Michels
Printed in Germany

1 2 3 4 5 6 – 08 07 06 05 04 03

Inhalt

Der ⌜Sandmann⌝

⌜Nathanael⌝ an Lothar

Gewiß seid Ihr alle voll Unruhe, daß ich so lange – lange
nicht geschrieben. Mutter zürnt wohl, und Clara mag glauben, ich lebe hier in Saus und Braus und vergesse mein
5 holdes Engelsbild, so tief mir in Herz und Sinn eingeprägt,
ganz und gar. – Dem ist aber nicht so; täglich und stündlich
gedenke ich Eurer Aller und in süßen Träumen geht meines
holden Clärchens freundliche Gestalt vorüber und lächelt
mich mit ihren hellen Augen so anmutig an, wie sie wohl
10 pflegte, wenn ich zu Euch hineintrat. – Ach wie vermochte
ich denn Euch zu schreiben, in der zerrissenen Stimmung
des Geistes, die mir bisher alle Gedanken verstörte! – Etwas entsetzliches ist in mein Leben getreten! – Dunkle Ahnungen eines gräßlichen mir drohenden Geschicks breiten
15 sich ⌜wie schwarze Wolkenschatten⌝ über mich aus, un-
durchdringlich jedem freundlichen Sonnenstrahl. – Nun
soll ich Dir sagen, was mir widerfuhr. Ich muß es, das sehe
ich ein, aber nur es denkend, lacht es wie toll aus mir heraus. – Ach mein herzlieber Lothar! wie fange ich es denn
20 an, Dich nur einigermaßen empfinden zu lassen, daß das,
was mir vor einigen Tagen geschah, denn wirklich mein
Leben so feindlich zerstören konnte! Wärst Du nur hier, so
könntest Du selbst schauen; aber jetzt hältst Du mich gewiß für einen aberwitzigen* ⌜Geisterseher⌝. – Kurz und gut,
25 das Entsetzliche, was mir geschah, dessen tödlichen Eindruck zu vermeiden ich mich vergebens bemühe, besteht in
nichts anderm, als daß vor einigen Tagen, nehmlich am 30.
Oktober ⌜Mittags um 12 Uhr⌝, ein ⌜Wetterglashändler⌝ in
meine Stube trat und mir seine Ware anbot. Ich kaufte
30 nichts und drohte, ihn die Treppe herabzuwerfen, worauf
er aber von selbst fortging. –
Du ahnest, daß nur ganz eigne, tief in mein Leben eingrei-
fende Beziehungen diesem Vorfall Bedeutung geben kön-

*unvernünf-
tigen, unbe-
sonnenen

nen, ja, daß wohl die Person jenes unglückseligen Krämers gar feindlich auf mich wirken muß. So ist es in der Tat. Mit aller Kraft fasse ich mich zusammen, um ruhig und geduldig Dir aus meiner frühern Jugendzeit so viel zu erzählen, daß Deinem regen Sinn alles klar und deutlich in leuchtenden Bildern aufgehen wird. Indem ich anfangen will, höre ich Dich lachen und Clara sagen: das sind ja rechte Kindereien! – Lacht, ich bitte Euch, lacht mich recht herzlich aus! – ich bitt' Euch sehr! – Aber Gott im Himmel! die Haare sträuben sich mir und es ist, als flehe ich Euch an, mich auszulachen, in wahnsinniger Verzweiflung, ⌜wie Franz Moor den Daniel⌝. – Nun fort zur Sache! –

Außer dem Mittagsessen sahen wir, ich und ⌜mein Geschwister⌝, Tag über den Vater wenig. Er mochte mit seinem Dienst viel beschäftigt sein. Nach dem Abendessen, das alter Sitte gemäß schon um sieben Uhr aufgetragen wurde, gingen wir alle, die Mutter mit uns, in des Vaters Arbeitszimmer und setzten uns um einen runden Tisch. Der Vater rauchte Tabak und trank ein großes Glas Bier dazu. Oft erzählte er uns viele wunderbare Geschichten und geriet darüber so in Eifer, daß ihm die Pfeife immer ausging, die ich, ihm brennend Papier hinhaltend, wieder anzünden mußte, welches mir denn ein Hauptspaß war. Oft gab er uns aber Bilderbücher in die Hände, saß stumm und starr in seinem Lehnstuhl und blies starke Dampfwolken von sich, daß wir alle wie im Nebel schwammen. An solchen Abenden war die Mutter sehr traurig und kaum ⌜schlug die Uhr neun⌝, so sprach sie: Nun Kinder! – zu Bette! zu Bette! der Sandmann kommt, ich merk' es schon. Wirklich hörte ich dann jedesmal Etwas schweren langsamen Tritts die Treppe heraufpoltern; das mußte der Sandmann sein. Einmal war mir jenes dumpfe Treten und Poltern besonders graulich; ich frug die Mutter, indem sie uns fortführte: Ei Mama! wer ist denn der böse Sandmann, der uns immer von Papa forttreibt? – wie sieht er denn aus? »Es gibt keinen Sandmann, mein liebes Kind, erwiderte die Mutter: wenn ich sage, der Sandmann kommt, so will das nur heißen, ihr seid schläfrig und könnt die Augen nicht offen behalten, als hätte man euch Sand hineingestreut.« –

Der Mutter Antwort befriedigte mich nicht, ja in meinem kindischen* Gemüt entfaltete sich deutlich der Gedanke, daß die Mutter den Sandmann nur verleugne, damit wir uns vor ihm nicht fürchten sollten, ich hörte ihn ja immer die Treppe heraufkommen. Voll Neugierde, näheres von diesem Sandmann und seiner Beziehung auf uns Kinder zu erfahren, frug ich endlich die alte Frau, die meine jüngste Schwester wartete*: was denn das für ein Mann sei, der Sandmann? »Ei Thanelchen*, erwiderte diese, weißt du das noch nicht? Das ist ein böser Mann, der kommt zu den Kindern, wenn sie nicht zu Bett' gehen wollen und wirft ihnen Händevoll Sand in die Augen, daß sie blutig zum Kopf herausspringen, die wirft er dann in den Sack und trägt sie in den Halbmond zur Atzung* für seine Kinderchen; die sitzen dort im Nest und haben ⌈krumme Schnäbel⌉, wie die Eulen, damit picken sie der unartigen Menschenkindlein Augen auf.« – Gräßlich malte sich nun im Innern mir das Bild des grausamen Sandmanns aus; so wie es Abends die Treppe heraufpolterte, zitterte ich vor Angst und Entsetzen. Nichts als den unter Tränen hergestotterten Ruf: der Sandmann! der Sandmann! konnte die Mutter aus mir herausbringen. Ich lief darauf in das Schlafzimmer, und wohl die ganze Nacht über quälte mich die fürchterliche Erscheinung des Sandmanns. – Schon alt genug war ich geworden, um einzusehen, daß das mit dem Sandmann und seinem Kindernest im Halbmonde, so wie es mir die Wartefrau* erzählt hatte, wohl nicht ganz seine Richtigkeit haben könne; indessen blieb mir der Sandmann ein fürchterliches Gespenst, und Grauen – Entsetzen ergriff mich, wenn ich ihn nicht allein die Treppe heraufkommen, sondern auch meines Vaters Stubentür heftig aufreißen und

Hier: kindlichen

versorgte

Koseform von Nathanael

Fütterung (der jungen Greifvögel)

Kinderfrau, Amme

hineintreten hörte. Manchmal blieb er lange weg, dann kam er öfter hintereinander. Jahre lang dauerte das, und nicht gewöhnen konnte ich mich an den unheimlichen Spuk, nicht bleicher wurde in mir das Bild des grausigen Sandmanns. Sein Umgang mit dem Vater fing an meine Fantasie immer mehr und mehr zu beschäftigen: den Vater darum zu befragen hielt mich eine unüberwindliche Scheu zurück, aber selbst – selbst das Geheimnis zu erforschen, den fabelhaften* Sandmann zu sehen, dazu keimte mit den Jahren immer mehr die Lust in mir empor. Der Sandmann hatte mich auf die Bahn des Wunderbaren, Abenteuerlichen gebracht, das so schon leicht im kindlichen Gemüt sich einnistet. Nichts war mir lieber, als schauerliche Geschichten von Kobolten, Hexen, Däumlingen u. s. w. zu hören oder zu lesen; aber obenan stand immer der Sandmann, den ich in den seltsamsten, abscheulichsten Gestalten überall auf Tische, Schränke und Wände mit Kreide, Kohle, hinzeichnete. Als ich ⌐zehn Jahre alt¬ geworden, wies mich die Mutter aus der Kinderstube in ein Kämmerchen, das auf dem Korridor unfern von meines Vaters Zimmer lag. Noch immer mußten wir uns, wenn auf den Schlag Neun Uhr sich jener Unbekannte im Hause hören ließ, schnell entfernen. In meinem Kämmerchen vernahm ich, wie er bei dem Vater hineintrat und bald darauf war es mir dann, als verbreite sich im Hause ein feiner seltsam riechender Dampf. Immer höher mit der Neugierde wuchs der Mut, auf irgend eine Weise des Sandmanns Bekanntschaft zu machen. Oft schlich ich schnell aus dem Kämmerchen auf den Korridor, wenn die Mutter vorübergegangen, aber nichts konnte ich erlauschen, denn immer war der Sandmann schon zur Türe hinein, wenn ich den Platz erreicht hatte, wo er mir sichtbar werden mußte. Endlich von unwiderstehlichem Drange getrieben, beschloß ich, im Zimmer des Vaters selbst mich zu verbergen und den Sandmann zu erwarten.

der Fabel entnommenen

An des Vaters Schweigen, an der Mutter Traurigkeit merkte ich eines Abends, daß der Sandmann kommen werde; ich schützte daher große Müdigkeit vor, verließ schon vor neun Uhr das Zimmer und verbarg mich dicht neben der Türe in einen Schlupfwinkel. Die Haustür knarrte, durch den Flur ging es, langsamen, schweren, dröhnenden Schrittes nach der Treppe. Die Mutter eilte mit dem Geschwister mir vorüber. Leise – leise öffnete ich des Vaters Stubentür. Er saß, wie gewöhnlich, stumm und starr den Rücken der Türe zugekehrt, er bemerkte mich nicht, schnell war ich hinein und hinter der Gardine, die einem gleich neben der Türe stehenden offnen Schrank, worin meines Vaters Kleider hingen, vorgezogen war. – Näher – immer näher dröhnten die Tritte – es hustete und scharrte und brummte seltsam draußen. ⌈Das Herz bebte mir vor Angst und Erwartung. – Dicht, dicht vor der Türe ein scharfer Tritt – ein heftiger Schlag auf die Klinke, die Tür springt rasselnd auf!⌉ – ⌈Mit Gewalt mich ermannend⌉ gucke ich behutsam hervor. Der Sandmann steht mitten in der Stube vor meinem Vater, der helle Schein der Lichter brennt ihm ins Gesicht! – Der Sandmann, der fürchterliche Sandmann ist der alte Advokat ⌈Coppelius⌉, der manchmal bei uns zu Mittage ißt! –
Aber die gräßlichste Gestalt hätte mir nicht tieferes Entsetzen erregen können, als eben dieser Coppelius. – Denke Dir einen großen breitschultrigen Mann mit einem unförmlich dicken Kopf, erdgelbem Gesicht, buschigten grauen Augenbrauen, unter denen ein paar grünliche Katzenaugen stechend hervorfunkeln, großer, starker über die Oberlippe gezogener Nase. Das schiefe Maul verzieht sich oft zum hämischen Lachen; dann werden auf den Backen ein paar dunkelrote Flecke sichtbar und ein seltsam zischender Ton fährt durch die zusammengekniffenen Zähne. Coppelius erschien immer in einem altmodisch zugeschnittenen ⌈aschgrauen Rocke*⌉, eben solcher Weste und gleichen

Beinkleidern, aber dazu schwarze Strümpfe und Schuhe mit kleinen Steinschnallen. Die kleine Perücke reichte kaum bis über den Kopfwirbel heraus, die Kleblocken* standen hoch über den großen roten Ohren und ein breiter verschlossener ⌈Haarbeutel⌉ starrte von dem Nacken weg, so daß man die silberne Schnalle sah, die die ⌈gefältelte Halsbinde⌉ schloß. Die ganze Figur war überhaupt widrig und abscheulich; aber vor allem waren uns Kindern seine großen knotigten, haarigten Fäuste zuwider, so daß wir, was er damit berührte, nicht mehr mochten. Das hatte er bemerkt und nun war es seine Freude, irgend ein Stückchen Kuchen, oder eine süße Frucht, die uns die gute Mutter heimlich auf den Teller gelegt, unter diesem, oder jenem Vorwande zu berühren, daß wir, helle Tränen in den Augen, die Näscherei, der wir uns erfreuen sollten, nicht mehr genießen mochten vor Ekel und Abscheu. Eben so machte er es, wenn uns an Feiertagen der Vater ein klein Gläschen süßen Weins eingeschenkt hatte. Dann fuhr er schnell mit der Faust herüber, oder brachte wohl gar das Glas an die blauen Lippen und lachte recht teuflisch, wenn wir unsern Ärger nur leise schluchzend äußern durften. Er pflegte uns nur immer die kleinen Bestien zu nennen; wir durften, war er zugegen, keinen Laut von uns geben und verwünschten den häßlichen, feindlichen Mann, der uns recht mit Bedacht und Absicht auch die kleinste Freude verdarb. Die Mutter schien eben so, wie wir, den widerwärtigen Coppelius zu hassen; denn so wie er sich zeigte, war ihr Frohsinn, ihr heiteres unbefangenes Wesen umgewandelt in traurigen, düstern Ernst. Der Vater betrug sich gegen ihn, als sei er ein höheres Wesen, dessen Unarten man dulden und das man auf jede Weise bei guter Laune erhalten müsse. Er durfte nur leise andeuten und Lieblingsgerichte wurden gekocht und seltene Weine kredenzt*.

Als ich nun diesen Coppelius sah, ging es grausig und entsetzlich in meiner Seele auf, daß ja niemand anders, als er,

der Sandmann sein könne, aber der Sandmann war mir nicht mehr jener Popanz* aus dem Ammenmärchen, der dem Eulennest im Halbmonde Kinderaugen zur Atzung holt, – Nein! – ein häßlicher gespenstischer Unhold, der
5 überall, wo er einschreitet, Jammer – Not – zeitliches, ewiges Verderben bringt.

Ich war fest gezaubert. Auf die Gefahr entdeckt, und, wie ich deutlich dachte, hart gestraft zu werden, blieb ich stehen, den Kopf lauschend durch die Gardine hervorge-
10 streckt. Mein Vater empfing den Coppelius feierlich. »Auf! – zum Werk«, rief dieser mit heiserer, schnarrender Stimme und warf den Rock ab. Der Vater zog still und finster seinen Schlafrock aus und beide kleideten sich in lange schwarze Kittel. Wo sie *die* hernahmen, hatte ich
15 übersehen. Der Vater öffnete die Flügeltür eines Wandschranks; aber ich sah, daß das, was ich so lange dafür gehalten, kein Wandschrank, sondern vielmehr eine schwarze Höhlung* war, in der ein kleiner Herd stand. Coppelius trat hinzu und eine blaue Flamme knisterte auf
20 dem Herde empor. Allerlei seltsames Geräte stand umher. Ach Gott! – wie sich nun mein alter Vater zum Feuer herabbückte, da sah er ganz anders aus. Ein gräßlicher krampfhafter Schmerz schien seine sanften ehrlichen Züge zum häßlichen widerwärtigen Teufelsbilde verzogen zu ha-
25 ben. Er sah dem Coppelius ähnlich. Dieser schwang die glutrote Zange und holte damit hellblinkende Massen aus dem dicken Qualm, die er dann emsig hämmerte. Mir war es als würden Menschengesichter ringsumher sichtbar, aber ohne Augen – scheußliche, tiefe schwarze Höhlen
30 statt ihrer. »⌈Augen her⌉, Augen her!« rief Coppelius mit dumpfer dröhnender Stimme. Ich kreischte auf von wildem Entsetzen gewaltig erfaßt und stürzte aus meinem Versteck heraus auf den Boden. Da ergriff mich Coppelius, kleine Bestie! – kleine Bestie! meckerte er zähnfletschend! – riß
35 mich auf und warf mich auf den Herd, daß die Flamme

Schreckgestalt, Vogelscheuche

Nische, Einbuchtung, Hohlraum

mein Haar zu sengen begann: »Nun haben wir Augen –
Augen – ein schön Paar Kinderaugen.« So flüsterte Cop-
pelius, und griff mit den Fäusten glutrote Körner aus der
Flamme, die er mir in die Augen streuen wollte. Da hob
mein Vater flehend die Hände empor und rief: Meister! 5
Meister! laß meinem Nathanael die Augen – laß sie ihm!
Coppelius lachte gellend auf und rief: »Mag denn der Jun-
ge die Augen behalten und sein Pensum* flennen in der
Welt; aber nun wollen wir doch den Mechanismus der
Hände und der Füße recht observieren*.« Und damit faßte 10
er mich gewaltig, daß die Gelenke knackten, und schrob*
mir die Hände ab und die Füße und setzte sie bald hier, bald
dort wieder ein. »'s steht doch überall nicht recht! 's gut so
wie es war! – Der ⌐Alte⌐ hat's verstanden!« So zischte und
lispelte Coppelius; aber alles um mich her wurde schwarz 15
und finster, ein jäher Krampf durchzuckte Nerv und Ge-
bein* – ich fühlte nichts mehr. Ein sanfter warmer Hauch
glitt über mein Gesicht, ich erwachte wie aus dem Todes-
schlaf, die Mutter hatte sich über mich hingebeugt. »Ist der
Sandmann noch da?« stammelte ich. »Nein, mein liebes 20
Kind, der ist lange, lange fort, der tut dir keinen Scha-
den!« – So sprach die Mutter und küßte und herzte den
wieder gewonnenen Liebling. –
Was soll ich Dich ermüden, mein herzlieber Lothar! was
soll ich so weitläufig Einzelnes hererzählen, da noch so 25
vieles zu sagen übrig bleibt? Genug! – ich war bei der Lau-
scherei entdeckt, und von Coppelius gemißhandelt worden. Angst und Schrecken hatten mir ein ⌐hitziges Fieber⌐
zugezogen, an dem ich mehrere Wochen krank lag. »Ist der
Sandmann noch da?« – Das war mein erstes gesundes Wort 30
und das Zeichen meiner Genesung, meiner Rettung. – Nur
noch den schrecklichsten Moment meiner Jugendjahre
darf ich Dir erzählen, dann wirst Du überzeugt sein, daß es
nicht meiner Augen Blödigkeit* ist, wenn mir nun alles
farblos erscheint, sondern, daß ein dunkles Verhängnis 35

(lat.) Hier:
Anteil,
Quantum

prüfen
schraubte

Skelett,
Knochen,
Körper

Schwäche,
Schlichtheit,
Schüchtern-
heit

wirklich einen trüben Wolkenschleier über mein Leben gehängt hat, den ich vielleicht nur sterbend zerreiße. –
⌜Coppelius ließ sich nicht mehr sehen, es hieß, er habe die Stadt verlassen.⌝

Ein Jahr mochte vergangen sein, als wir der alten unveränderten Sitte gemäß Abends an dem runden Tische saßen. Der Vater war sehr heiter und erzählte viel Ergötzliches von den Reisen, die er in seiner Jugend gemacht. Da hörten wir, als es Neune schlug, plötzlich die Haustür in den Angeln knarren und langsame eisenschwere Schritte dröhnten durch den Hausflur die Treppe herauf. »Das ist Coppelius«, sagte meine Mutter erblassend. »Ja! – es ist Coppelius«, wiederholte der Vater mit matter gebrochener Stimme. Die Tränen stürzten der Mutter aus den Augen. »Aber Vater, Vater! rief sie, muß es denn so sein?« »Zum letztenmale!« erwiderte dieser, »zum letztenmale kommt er zu mir, ich verspreche es dir. Geh' nur, geh' mit den Kindern! – Geht – geht zu Bette! Gute Nacht!«
Mir war es, als sei ich in schweren kalten Stein eingepreßt – mein Atem stockte! – Die Mutter ergriff mich beim Arm als ich unbeweglich stehen blieb: »Komm Nathanael, komme nur!« – Ich ließ mich fortführen, ich trat in meine Kammer. »Sei ruhig, sei ruhig, lege dich ins Bette! – schlafe – schlafe«, rief mir die Mutter nach; aber von unbeschreiblicher innerer Angst und Unruhe gequält, konnte ich kein Auge zutun. Der verhaßte abscheuliche Coppelius stand vor mir mit funkelnden Augen und lachte mich hämisch an, vergebens trachtete ich sein Bild los zu werden. Es mochte wohl schon Mitternacht sein, als ein entsetzlicher Schlag geschah, wie wenn ein Geschütz losgefeuert würde. Das ganze Haus erdröhnte, es rasselte und rauschte bei meiner Türe vorüber, die Haustüre wurde klirrend zugeworfen. »Das ist Coppelius« rief ich entsetzt und sprang aus dem Bette. Da kreischte es auf in schneidendem trostlosen Jammer, fort stürzte ich nach des Vaters Zimmer, die Türe

stand offen, erstickender Dampf quoll mir entgegen, das Dienstmädchen schrie: Ach, der Herr! – der Herr! – Vor dem dampfenden Herde auf dem Boden lag mein Vater tot mit schwarz verbranntem gräßlich verzerrtem Gesicht, um ihn herum heulten und winselten die Schwestern – die Mutter ohnmächtig daneben! – »Coppelius, verruchter Satan, du hast den Vater erschlagen!« – So schrie ich auf; mir vergingen die Sinne. Als man zwei Tage darauf meinen Vater in den Sarg legte, waren seine Gesichtszüge wieder mild und sanft geworden, wie sie im Leben waren. Tröstend ging es in meiner Seele auf, daß sein ⌈Bund mit dem teuflischen Coppelius⌉ ihn nicht ins ewige Verderben gestürzt haben könne. –

Die Explosion hatte die Nachbarn geweckt, der Vorfall wurde ruchtbar und kam vor die Obrigkeit, welche den Coppelius zur Verantwortung vorfordern wollte. Der war aber spurlos vom Orte verschwunden.

Wenn ich Dir nun sage, mein herzlieber Freund! daß jener Wetterglashändler eben der verruchte Coppelius war, so wirst Du mir es nicht verargen, daß ich die feindliche Erscheinung als schweres Unheil bringend deute. Er war anders gekleidet, aber Coppelius Figur und Gesichtszüge sind zu tief in mein Innerstes eingeprägt, als daß hier ein Irrtum möglich sein sollte. Zudem hat Coppelius nicht einmal seinen Namen geändert. Er gibt sich hier, wie ich höre, für einen piemontesischen Mechanicus* aus, und nennt sich Giuseppe Coppola.

Ich bin entschlossen es mit ihm aufzunehmen und des Vaters Tod zu rächen, mag es denn nun gehen wie es will.

Der Mutter erzähle nichts von dem Erscheinen des gräßlichen Unholds – Grüße meine liebe holde Clara, ich schreibe ihr in ruhigerer Gemütsstimmung. Lebe wohl etc. etc.

Der Sandmann

*(lat.) Verfertiger optischer und physikalischer Instrumente aus dem nordwestitalienischen Piemont

Clara an Nathanael

Wahr ist es, daß Du recht lange mir nicht geschrieben hast,
aber dennoch glaube ich, daß Du mich in ⌈Sinn und Ge-
danken⌉ trägst. Denn meiner gedachtest Du wohl recht leb-
5 haft, als Du Deinen letzten Brief an Bruder Lothar absen-
den wolltest und die Aufschrift, statt an ihn, an mich rich-
tetest. Freudig erbrach ich den Brief und wurde den Irrtum
erst bei den Worten inne: Ach mein herzlieber Lothar! –
Nun hätte ich nicht weiter lesen, sondern den Brief dem
10 Bruder geben sollen. Aber, hast Du mir auch sonst manchmal in kindischer Neckerei vorgeworfen, ich hätte solch'
ruhiges, weiblich besonnenes Gemüt, daß ich wie jene
Frau, drohe das Haus den Einsturz, noch vor schneller
Flucht ganz geschwinde einen falschen Kniff in der Fen-
15 stergardine glattstreichen würde, so darf ich doch wohl
kaum versichern, daß Deines Briefes Anfang mich tief er-
schütterte. Ich konnte kaum atmen, es flimmerte mir vor
den Augen. – Ach, mein herzgeliebter Nathanael! was
konnte so entsetzliches in Dein Leben getreten sein! Tren-
20 nung von Dir, Dich niemals wieder sehen, der Gedanke
durchfuhr meine Brust wie ein glühender Dolchstich. – Ich
las und las! – Deine Schilderung des widerwärtigen Coppelius ist gräßlich. Erst jetzt vernahm ich, wie Dein guter alter
Vater solch' entsetzlichen, gewaltsamen Todes starb. Bru-
25 der Lothar, dem ich sein Eigentum zustellte, suchte mich zu
beruhigen, aber es gelang ihm schlecht. Der fatale Wetterglashändler Giuseppe Coppola verfolgte mich auf Schritt
und Tritt und beinahe schäme ich mich, es zu gestehen, daß
er selbst meinen gesunden, sonst so ruhigen Schlaf in aller-
30 lei wunderlichen Traumgebilden zerstören konnte. Doch
bald, schon den andern Tag, hatte sich Alles anders in mir
gestaltet. Sei mir nur nicht böse, mein Inniggeliebter, wenn
Lothar Dir etwa sagen möchte, daß ich trotz Deiner selt-

samen Ahnung, Coppelius werde Dir etwas Böses antun, ganz heitern unbefangenen Sinnes bin, wie immer.

Gerade heraus will ich es Dir nur gestehen, daß, wie ich meine, alles Entsetzliche und Schreckliche, wovon Du sprichst, nur in Deinem Innern vorging, die wahre wirkliche Außenwelt aber daran wohl wenig Teil hatte. Widerwärtig genug mag der alte Coppelius gewesen sein, aber daß er Kinder haßte, das brachte in Euch Kindern wahren Abscheu gegen ihn hervor.

Natürlich verknüpfte sich nun in Deinem kindischen Gemüt der schreckliche Sandmann aus dem Ammenmärchen mit dem alten Coppelius, der Dir, glaubtest Du auch nicht an den Sandmann, ein gespenstischer, Kindern vorzüglich gefährlicher, Unhold blieb. Das unheimliche Treiben mit Deinem Vater zur Nachtzeit war wohl nichts anders, als daß beide insgeheim ⌜alchymistische Versuche⌝ machten, womit die Mutter nicht zufrieden sein konnte, da gewiß viel Geld unnütz verschleudert und obendrein, wie es immer mit solchen Laboranten* der Fall sein soll, des Vaters Gemüt ganz von dem trügerischen Drange nach hoher Weisheit erfüllt, der Familie abwendig gemacht wurde. Der Vater hat wohl gewiß durch eigne Unvorsichtigkeit seinen Tod herbeigeführt, und Coppelius ist nicht Schuld daran: Glaubst Du, daß ich den erfahrnen Nachbar Apotheker gestern frug, ob wohl bei chemischen Versuchen eine solche augenblicklich tötende Explosion möglich sei? Der sagte: Ei allerdings und beschrieb mir nach seiner Art gar weitläuftig und umständlich, wie das zugehen könne, und nannte dabei so viel sonderbar klingende Namen, die ich gar nicht zu behalten vermochte. – Nun wirst Du wohl unwillig werden über Deine Clara, Du wirst sagen: in dies kalte Gemüt dringt kein Strahl des Geheimnisvollen, das den Menschen oft mit unsichtbaren Armen umfaßt; sie erschaut nur die bunte Oberfläche der Welt und freut sich, wie das kindische Kind über die goldgleißende Frucht, in deren Innerm tödliches Gift verborgen.

Hier: Schmelzkünstler, Scheidekünstler, Alchemist

Ach mein herzgeliebter Nathanael! glaubst Du denn nicht, daß auch in heitern – unbefangenen – sorglosen Gemütern die Ahnung wohnen könne von einer dunklen Macht, die feindlich uns in unserm eignen Selbst zu verderben strebt? –
5 Aber verzeih' es mir, wenn ich einfältig' Mädchen mich unterfange, auf irgend eine Weise Dir anzudeuten, was ich eigentlich von solchem Kampfe im Innern glaube. – Ich finde wohl gar am Ende nicht die rechten Worte und Du lachst mich aus, nicht, weil ich was dummes meine, son-
10 dern weil ich mich so ungeschickt anstelle, es zu sagen.

Gibt es eine dunkle Macht, die so recht feindlich und verräterisch einen Faden in unser Inneres legt, woran sie uns dann festpackt und fortzieht auf einem gefahrvollen verderblichen Wege, den wir sonst nicht betreten haben wür-
15 den – gibt es eine solche Macht, so muß sie in uns sich, wie wir selbst gestalten, ja unser Selbst werden; denn nur *so* glauben wir an sie und räumen ihr den Platz ein, dessen sie bedarf, um jenes geheime Werk zu vollbringen. Haben wir festen, durch das heitre Leben gestärkten, Sinn genug, um
20 fremdes feindliches Einwirken als solches stets zu erkennen und den Weg, in den uns Neigung und Beruf* geschoben, ruhigen Schrittes zu verfolgen, so geht wohl jene unheimliche Macht unter in dem vergeblichen Ringen nach der Gestaltung, die unser eignes Spiegelbild sein sollte. Es ist
25 auch gewiß, fügt Lothar hinzu, daß die dunkle physische Macht, haben wir uns durch uns selbst ihr hingegeben, oft fremde Gestalten, die die Außenwelt uns in den Weg wirft, in unser Inneres hineinzieht, so, daß wir selbst nur den Geist entzünden, der, wie wir in wunderlicher Täuschung
30 glauben, aus jener Gestalt spricht. Es ist das Fantom* unseres eigenen Ichs, dessen innige Verwandtschaft und dessen tiefe Einwirkung auf unser Gemüt uns in die Hölle wirft, oder in den Himmel verzückt. – Du merkst, mein herzlieber Nathanael! daß wir, ich und Bruder Lothar uns
35 recht über die Materie von dunklen Mächten und Gewal-

Berufung, Bestimmung

(franz.) Gespenst, Trugbild

ten ausgesprochen haben, die mir nun, nachdem ich nicht ohne Mühe das Hauptsächlichste aufgeschrieben, ordentlich tiefsinnig vorkommt. Lothar's letzte Worte verstehe ich nicht ganz, ich ahne nur, was er meint, und doch ist es mir, als sei alles sehr wahr. Ich bitte Dich, schlage Dir den häßlichen Advokaten Coppelius und den Wetterglasmann Giuseppe Coppola ganz aus dem Sinn. Sei überzeugt, daß diese fremden Gestalten nichts über Dich vermögen; nur der Glaube an ihre feindliche Gewalt kann sie Dir in der Tat feindlich machen. Spräche nicht aus jeder Zeile Deines Briefes die tiefste Aufregung Deines Gemüts, schmerzte mich nicht Dein Zustand recht in innerster Seele, wahrhaftig, ich könnte über den Advokaten Sandmann und den Wetterglashändler Coppelius scherzen. Sei heiter – heiter! – Ich habe mir vorgenommen, bei Dir zu erscheinen, wie Dein Schutzgeist, und den häßlichen Coppola, sollte er es sich etwa beikommen* lassen, Dir im Traum beschwerlich zu fallen, mit lautem Lachen fortzubannen. Ganz und gar nicht fürchte ich mich vor ihm und vor seinen garstigen Fäusten, er soll mir weder als Advokat eine Näscherei, noch als Sandmann die Augen verderben.

Ewig, mein herzinnigstgeliebter Nathanael etc. etc. etc.

einfallen

Nathanael an Lothar

Sehr unlieb ist es mir, daß Clara neulich den Brief an Dich aus, freilich durch meine Zerstreutheit veranlaßtem, Irrtum erbrach und las. Sie hat mir einen sehr tiefsinnigen philosophischen Brief geschrieben, worin sie ausführlich beweiset, daß Coppelius und Coppola nur in meinem Innern existieren und Fantome meines Ich's sind, die augenblicklich zerstäuben, wenn ich sie als solche, erkenne. In

22   Der Sandmann

der Tat, man sollte gar nicht glauben, daß der Geist, der aus
solch' hellen holdlächelnden Kindesaugen, oft wie ein lieb-
licher süßer Traum, hervorleuchtet, so gar verständig, so
magistermäßig distinguieren* könne. Sie beruft sich auf
Dich. Ihr habt über mich gesprochen. Du liesest ihr wohl
logische Collegia*, damit sie alles fein sichten und sondern
lerne. – Laß das bleiben! – Übrigens ist es wohl gewiß, daß
der Wetterglashändler Giuseppe Coppola keinesweges der
alte Advokat Coppelius ist. Ich höre bei dem erst neuer-
dings angekommenen Professor der Physik, der, wie jener
berühmte Naturforscher, ⌈Spalanzani⌉ heißt und italiäni-
scher Abkunft ist, Collegia. Der kennt den Coppola schon
seit vielen Jahren und überdem hört man es auch seiner
Aussprache an, daß er wirklich Piemonteser ist. Coppelius
war ein Deutscher, aber wie mich dünkt, kein ehrlicher*.
Ganz beruhigt bin ich nicht. Haltet Ihr, Du und Clara,
mich immerhin für einen düstern Träumer, aber nicht los
kann ich den Eindruck werden, den Coppelius verfluchtes
Gesicht auf mich macht. Ich bin froh, daß er fort ist aus der
Stadt, wie mir Spalanzani sagt. Dieser Professor ist ein
wunderlicher Kauz. Ein kleiner rundlicher Mann, das Gesicht mit starken Backenknochen, feiner Nase, aufgeworf-
nen Lippen, kleinen stechenden Augen. Doch besser, als in
jeder Beschreibung, siehst Du ihn, wenn Du den ⌈Caglio-
stro⌉, wie er von ⌈Chodowiecki⌉ in irgend einem Berlini-
schen Taschenkalender steht, anschauest. – So sieht Spalanzani aus. – Neulich steige ich die Treppe herauf und
nehme wahr, daß die sonst einer Glastüre dicht vorgezo-
gene Gardine zur Seite einen kleinen Spalt läßt. Selbst weiß
ich nicht, wie ich dazu kam, neugierig durchzublicken. Ein
hohes, sehr schlank im reinsten Ebenmaß gewachsenes,
herrlich gekleidetes Frauenzimmer saß im Zimmer vor einem kleinen Tisch, auf den sie beide Ärme, die Hände zu-
sammengefaltet, gelegt hatte. Sie saß der Türe gegenüber,
so, daß ich ihr engelschönes Gesicht ganz erblickte. Sie

erörtern,
unterscheiden

(lat.) Vorle-
sungen über
Logik

rechtmäßiger

schien mich nicht zu bemerken, und überhaupt hatten ihre
Augen etwas Starres, beinahe möcht' ich sagen, keine Sehkraft, es war mir so, als schliefe sie mit offnen Augen. Mir
wurde ganz unheimlich und deshalb schlich ich leise fort

(lat.) Hörsaal
ins Auditorium*, das daneben gelegen. Nachher erfuhr ich, 5
daß die Gestalt, die ich gesehen, Spalanzani's Tochter,
Olimpia war, die er sonderbarer und schlechter Weise ein-
sperrt, so, daß durchaus kein Mensch in ihre Nähe kommen darf. – Am Ende hat es eine Bewandtnis mit ihr, sie ist
vielleicht blödsinnig oder sonst. – Weshalb schreibe ich Dir 10
aber das alles? Besser und ausführlicher hätte ich Dir das

Hiermit ist der
Zeitpunkt,
nicht der
Zeitraum
gemeint.
mündlich erzählen können. Wisse nehmlich, daß ich über
vierzehn Tage* bei Euch bin. Ich muß mein süßes liebes
Engelsbild, meine Clara, wiedersehen. Weggehaucht wird
dann die Verstimmung sein, die sich (ich muß das gestehen) 15
nach dem fatalen verständigen Briefe meiner bemeistern
wollte. Deshalb schreibe ich auch heute nicht an sie.
Tausend Grüße etc. etc. etc.

Seltsamer und wunderlicher kann nichts erfunden werden,
als dasjenige ist, was sich mit meinem armen Freunde, dem 20
jungen Studenten Nathanael, zugetragen, und was ich dir,
günstiger Leser! zu erzählen unternommen. Hast du, Ge-
neigtester! wohl jemals etwas erlebt, das deine Brust, Sinn
und Gedanken ganz und gar erfüllte, Alles Andere daraus
verdrängend? Es ˹gärte und kochte˺ in dir, zur siedenden 25
Glut entzündet sprang das Blut durch die Adern und färbte
höher deine Wangen. Dein Blick war so seltsam als wolle er
Gestalten, keinem andern Auge sichtbar, im leeren Raum
erfassen und die Rede zerfloß in dunkle Seufzer. Da frugen
dich die Freunde: Wie ist Ihnen, Verehrter? – Was haben 30
Sie, Teurer? Und nun wolltest du ˹das innere Gebilde˺ mit
allen glühenden Farben und Schatten und Lichtern aus-
sprechen und mühtest dich ab, Worte zu finden, um nur
anzufangen. Aber es war dir, als müßtest du nun gleich im

ersten Wort Alles Wunderbare, Herrliche, Entsetzliche, Lustige, Grauenhafte, das sich zugetragen, recht zusammengreifen, so daß es, wie ein elektrischer Schlag, alle treffe. Doch jedes Wort, Alles was Rede vermag, schien dir farblos und frostig und tot. Du suchst und suchst, und stotterst und stammelst, und die nüchternen Fragen der Freunde schlagen, wie eisige Windeshauche, hinein in deine innere Glut, bis sie verlöschen will. Hattest du aber, wie ein kekker Maler, erst mit einigen verwegenen Strichen, den Umriß deines innern Bildes hingeworfen, so trugst du mit leichter Mühe immer glühender und glühender die Farben auf und das lebendige Gewühl mannigfacher Gestalten riß die Freunde fort und sie sahen, wie du, sich selbst mitten im Bilde, das aus deinem Gemüt hervorgegangen! – Mich hat, wie ich es dir, geneigter Leser! gestehen muß, eigentlich niemand nach der Geschichte des jungen Nathanael gefragt; du weißt ja aber wohl, daß ich zu dem wunderlichen Geschlechte der Autoren gehöre, denen, tragen sie etwas so in sich, wie ich es vorhin beschrieben, so zu Mute wird, als frage jeder, der in ihre Nähe kommt und nebenher auch wohl noch die ganze Welt: Was ist es denn? Erzählen Sie Liebster? – So trieb es mich denn gar gewaltig, von Nathanaels verhängnisvollem Leben zu dir zu sprechen. Das Wunderbare, Seltsame davon erfüllte meine ganze Seele, aber eben deshalb und weil ich dich, o mein Leser! gleich geneigt machen mußte, Wunderliches zu ertragen, welches nichts geringes ist, quälte ich mich ab, Nathanaels Geschichte, bedeutend – originell, ergreifend, anzufangen: »Es war einmal« – der schönste Anfang jeder Erzählung, zu nüchtern! – »In der kleinen Provinzial-Stadt S. lebte« – etwas besser, wenigstens ausholend zum ⌈Klimax⌉. – Oder gleich ⌈medias in res⌉: »Scher' Er sich zum Teufel, rief, Wut und Entsetzen im wilden Blick, der Student Nathanael, als der Wetterglashändler Giuseppe Coppola« – Das hatte ich in der Tat schon aufgeschrieben, als ich in dem wilden Blick des Studenten Nathanael etwas possierliches zu verspüren glaubte; die Geschichte ist aber gar nicht spaßhaft. Mir kam keine Rede in den Sinn, die nur im mindesten etwas von dem Farbenglanz des innern Bildes abzuspiegeln schien. Ich beschloß gar nicht anzufangen. Nimm, geneig- 5 ter Leser! die drei Briefe, welche Freund Lothar mir gütigst mitteilte, für den Umriß des Gebildes, in das ich nun erzäh- lend immer mehr und mehr Farbe hineinzutragen mich be- mühen werde. Vielleicht gelingt es mir, manche Gestalt, wie ein guter Portraitmaler, so aufzufassen, daß du es ähn- 10 lich findest, ohne das Original zu kennen, ja daß es dir ist, als hättest du die Person recht oft schon mit leibhaftigen Augen gesehen. Vielleicht wirst du, o mein Leser! dann glauben, daß nichts wunderlicher und toller sei, als das wirkliche Leben und daß dieses der Dichter doch nur, wie 15 in eines matt geschliffnen Spiegels dunklem Widerschein, auffassen könne.

Damit klarer werde, was gleich Anfangs zu wissen nötig, ist jenen Briefen noch hinzuzufügen, daß bald darauf, als Nathanaels Vater gestorben, Clara und Lothar, Kinder ei- 20 nes weitläuftigen Verwandten, der ebenfalls gestorben und sie verwaist nachgelassen, von Nathanaels Mutter ins Haus genommen wurden. Clara und Nathanael faßten eine heftige Zuneigung zu einander, wogegen kein Mensch auf Erden etwas einzuwenden hatte; sie waren daher Ver- 25 lobte, als Nathanael den Ort verließ um seine Studien in G. – fortzusetzen. Da ist er nun in seinem letzten Briefe und hört Collegia bei dem berühmten Professor Physices*, Spa- lanzani.

Professor der Physik

Nun könnte ich getrost in der Erzählung fortfahren; aber in 30 dem Augenblick steht Clara's Bild so lebendig mir vor Au- gen, daß ich nicht wegschauen kann, so wie es immer ge- schah, wenn sie mich holdlächelnd anblickte. – Für schön konnte Clara keinesweges gelten; das meinten alle, die sich von Amtswegen auf Schönheit verstehen. Doch lobten die 35

Der Sandmann

Architekten die reinen Verhältnisse ihres Wuchses, die Maler fanden Nacken, Schultern und Brust beinahe zu keusch geformt, verliebten sich dagegen sämtlich in das wunderbare Magdalenenhaar und faselten überhaupt viel von
⌜Battonischem Kolorit⌝. Einer von ihnen, ein wirklicher Fantast, verglich aber höchstseltsamer Weise Clara's Augen mit einem See von ⌜Ruisdael⌝, in dem sich des wolkenlosen Himmels reines Azur, Wald- und Blumenflur, der reichen Landschaft ganzes buntes, heitres Leben spiegelt. Dichter und Meister gingen aber weiter und sprachen: Was See – was Spiegel! – Können wir denn das Mädchen anschauen, ohne daß uns aus ihrem Blick wunderbare himmlische Gesänge und Klänge entgegenstrahlen, die in unser Innerstes dringen, daß da alles wach und rege wird? Singen wir selbst dann nichts wahrhaft gescheutes, so ist überhaupt nicht viel an uns und das lesen wir denn auch deutlich in dem um Clara's Lippen schwebenden feinen Lächeln, wenn wir uns unterfangen, ihr etwas ⌜vorzuquinkelieren⌝, das so tun will als sei es Gesang, unerachtet nur einzelne Töne verworren durch einander springen. Es war dem so. Clara hatte die lebenskräftige Fantasie des heitern unbefangenen, kindischen Kindes, ein tiefes weiblich zartes Gemüt, einen gar hellen scharf sichtenden Verstand. Die Nebler und Schwebler* hatten bei ihr böses Spiel; denn ohne zu viel zu reden, was überhaupt in Clara's schweigsamer Natur nicht lag, sagte ihnen der helle Blick, und jenes feine ironische Lächeln: Lieben Freunde! wie möget ihr mir denn zumuten, daß ich eure verfließende Schattengebilde für wahre Gestalten ansehen soll, mit Leben und Regung? – Clara wurde deshalb von vielen kalt, gefühllos, prosaisch* gescholten; aber andere, die das Leben in klarer Tiefe aufgefaßt, liebten ungemein das gemütvolle, verständige, kindliche Mädchen, doch keiner so sehr, als Nathanael, der sich in Wissenschaft und Kunst kräftig und heiter bewegte. Clara hing an dem Geliebten mit ganzer Seele; die

überspannte, wirklichkeitsfremde Phantasten

nüchtern, sachlich, oberflächlich; Gegenbegriff zu poetisch

ersten Wolkenschatten zogen durch ihr Leben, als er sich
von ihr trennte. Mit welchem Entzücken flog sie in seine
Arme, als er nun, wie er im letzten Briefe an Lothar es
verheißen, wirklich in seiner Vaterstadt in's Zimmer der
Mutter eintrat. Es geschah so wie Nathanael geglaubt; 5
denn in dem Augenblick, als er Clara wieder sah, dachte er
weder an den Advokaten Coppelius, noch an Clara's verständigen Brief, jede Verstimmung war verschwunden.
Recht hatte aber Nathanael doch, als er seinem Freunde
Lothar schrieb, daß des widerwärtigen Wetterglashändlers 10
Coppola Gestalt recht feindlich in sein Leben getreten sei.
Alle fühlten das, da Nathanael gleich in den ersten Tagen in
seinem ganzen Wesen durchaus verändert sich zeigte. Er
versank in düstre Träumereien, und trieb es bald so seltsam, wie man es niemals von ihm gewohnt gewesen. Alles, 15
das ganze Leben war ihm Traum und Ahnung geworden;
immer sprach er davon, wie jeder Mensch, sich frei wäh-
nend, nur dunklen Mächten zum grausamen Spiel diene,
vergeblich lehne man sich dagegen auf, demütig müsse
man sich dem fügen, was das Schicksal verhängt habe. Er 20
ging so weit, zu behaupten, daß es töricht sei, wenn man

Freiheit, freies
Ermessen

glaube, in Kunst und Wissenschaft nach selbsttätiger Will-
kür* zu schaffen; denn die Begeisterung, in der man nur zu
schaffen fähig sei, komme nicht aus dem eignen Innern,
sondern sei das Einwirken irgend eines außer uns selbst 25
liegenden höheren Prinzips.
Der verständigen Clara war diese ⌜mystische Schwärmerei⌝
im höchsten Grade zuwider, doch schien es vergebens, sich
auf Widerlegung einzulassen. Nur dann, wenn Nathanael
bewies, daß Coppelius das böse Prinzip sei, was ihn in dem 30
Augenblick erfaßt habe, als er hinter dem Vorhange lausch-
te, und daß dieser widerwärtige *Dämon* auf entsetzliche
Weise ihr Liebesglück stören werde, da wurde Clara sehr
ernst und sprach: »Ja Nathanael! Du hast Recht, Coppelius ist ein böses feindliches Prinzip, er kann Entsetzliches 35

wirken, wie eine teuflische Macht, die sichtbarlich in das Leben trat, aber nur dann, wenn du ihn nicht aus Sinn und Gedanken verbannst. So lange du an ihn glaubst, *ist* er auch und wirkt, nur dein Glaube ist seine Macht.« – Nathanael, ganz erzürnt, daß Clara die Existenz des *Dämons* nur in seinem eignen Innern statuiere*, wollte dann hervorrücken mit der ganzen mystischen Lehre von Teufeln und grausen Mächten, Clara brach aber verdrüßlich ab, indem sie irgend etwas gleichgültiges dazwischen schob, zu Nathanaels nicht geringem Ärger. *Der* dachte, kalten unempfänglichen Gemütern erschließen sich ⟨nicht⟩ solche tiefe Geheimnisse, ohne sich deutlich bewußt zu sein, daß er Clara eben zu solchen untergeordneten Naturen zähle, weshalb er nicht abließ mit Versuchen, sie in jene Geheimnisse einzuweihen. Am frühen Morgen, wenn Clara das Frühstück bereiten half, stand er bei ihr und las ihr aus allerlei mystischen Büchern vor, daß Clara bat: Aber lieber Nathanael, wenn ich *dich* nun das böse Prinzip schelten wollte, das feindlich auf meinen Kaffee wirkt? – Denn, wenn ich, wie du es willst, alles stehen und liegen lassen und dir, indem du liesest, in die Augen schauen soll, so läuft mir der Kaffee ins Feuer und ihr bekommt alle kein Frühstück! – Nathanael klappte das Buch heftig zu und rannte voll Unmut fort in sein Zimmer. Sonst hatte er eine besondere Stärke in anmutigen, lebendigen Erzählungen, die er aufschrieb, und die Clara mit dem innigsten Vergnügen anhörte, jetzt waren seine Dichtungen düster, unverständlich, gestaltlos, so daß, wenn Clara schonend es auch nicht sagte, er doch wohl fühlte, wie wenig sie davon angesprochen wurde. Nichts war für Clara tötender, als das Langweilige; in Blick und Rede sprach sie dann ihre nicht zu besiegende geistige Schläfrigkeit aus. Nathanael's Dichtungen waren in der Tat sehr langweilig. Sein Verdruß über Clara's kaltes prosaisches Gemüt stieg höher, Clara konnte ihren Unmut über Nathanael's dunkle, düstere, langweili-

(lat.) feststelle, annehme

ge Mystik nicht überwinden, und so entfernten beide im Innern sich immer mehr von einander, ohne es selbst zu bemerken. Die Gestalt des häßlichen Coppelius war, wie Nathanael selbst es sich gestehen mußte, in seiner Fantasie erbleicht und es kostete ihm oft Mühe, ihn in seinen Dichtungen, wo er als grauser Schicksalspopanz auftrat, recht lebendig zu kolorieren*. Es kam ihm endlich ein, jene düstre Ahnung, daß Coppelius sein Liebesglück stören werde, zum Gegenstande eines Gedichts zu machen. Er stellte sich und Clara dar, in treuer Liebe verbunden, aber dann und wann war es, als griffe eine schwarze Faust in ihr Leben und risse irgend eine Freude heraus, die ihnen aufgegangen. Endlich, als sie schon ⌜am Traualtar stehen⌝, erscheint der entsetzliche Coppelius und berührt Clara's holde Augen; *die* springen in Nathanaels Brust wie blutige Funken sengend und brennend, Coppelius faßt ihn und wirft ihn in einen flammenden ⌜Feuerkreis⌝, der sich dreht mit der Schnelligkeit des Sturmes und ihn sausend und brausend fortreißt. Es ist ein Tosen, als wenn der Orkan grimmig hineinpeitscht in die schäumenden Meereswellen, die sich wie schwarze, weißhauptige Riesen emporbäumen in wütendem Kampfe. Aber durch dies wilde Tosen hört er Clara's Stimme: Kannst du mich denn nicht erschauen? Coppelius hat dich getäuscht, das waren ja nicht meine Augen, die so in deiner Brust brannten, das waren ja glühende Tropfen deines eignen Herzbluts – ich habe ja meine Augen, sieh mich doch nur an! – Nathanael denkt: das ist Clara, und ich bin ihr Eigen* ewiglich. – Da ist es, als faßt der Gedanke gewaltig in den Feuerkreis hinein, daß er stehen bleibt, und im schwarzen Abgrund verrauscht dumpf das Getöse. Nathanael blickt in Clara's Augen; aber es ist der Tod, der mit Clara's Augen ihn freundlich anschaut. Während Nathanael dies dichtete, war er sehr ruhig und besonnen, er feilte und besserte an jeder Zeile und da er sich dem metrischen Zwange unterworfen, ruhte er nicht,

auszumalen

Eigentum, ihr zu eigen

bis alles rein und wohlklingend sich fügte. Als er jedoch nun endlich fertig worden, und das Gedicht für sich laut las, da faßte ihn Grausen und wildes Entsetzen und er schrie auf: Wessen grauenvolle Stimme ist das? – Bald schien ihm jedoch das Ganze wieder nur eine sehr gelungene Dichtung, und es war ihm, als müsse Clara's kaltes Gemüt dadurch entzündet werden, wiewohl er nicht deutlich dachte, wozu denn Clara entzündet, und wozu es denn nun eigentlich führen solle, sie mit den grauenvollen Bildern zu ängstigen, die ein entsetzliches, ihre Liebe zerstörendes Geschick weissagten. Sie, Nathanael und Clara, saßen in der Mutter kleinem Garten, Clara war sehr heiter, weil Nathanael sie seit drei Tagen, in denen er an jener Dichtung schrieb, nicht mit seinen Träumen und Ahnungen geplagt hatte. Auch Nathanael sprach lebhaft und froh von lustigen Dingen wie sonst, so, daß Clara sagte: Nun erst habe ich dich ganz wieder, siehst du es wohl, wie wir den häßlichen Coppelius vertrieben haben? Da fiel dem Nathanael erst ein, daß er ja die Dichtung in der Tasche trage, die er habe vorlesen wollen. Er zog auch sogleich die Blätter hervor und fing an zu lesen: Clara, etwas langweiliges wie gewöhnlich vermutend und sich darein ergebend, fing an, ruhig zu stricken. Aber so wie immer schwärzer und schwärzer das düstre Gewölk aufstieg, ließ sie den Strickstrumpf sinken und blickte starr dem Nathanael ins Auge. *Den* riß seine Dichtung unaufhaltsam fort, hochrot färbte seine Wangen die innere Glut, Tränen quollen ihm aus den Augen – Endlich hatte er geschlossen, er stöhnte in tiefer Ermattung – er faßte Clara's Hand und seufzte wie aufgelöst in trostlosem Jammer: Ach! – Clara – Clara – Clara drückte ihn sanft an ihren Busen und sagte leise, aber sehr langsam und ernst: Nathanael – mein herzlieber Nathanael! – wirf das tolle – unsinnige – wahnsinnige Märchen ins Feuer. Da sprang Nathanael entrüstet auf und rief, Clara von sich stoßend: Du lebloses, verdammtes Automat! Er rannte fort, bittre Tränen vergoß die tief verletzte Clara: Ach er hat mich niemals geliebt, denn er versteht mich nicht, schluchzte sie laut. – Lothar trat in die Laube; Clara mußte ihm erzählen was vorgefallen; er liebte seine Schwester mit ganzer Seele, jedes Wort ihrer Anklage fiel wie ein Funke in sein Inneres, so, daß der Unmut, den er wider den träumerischen Nathanael lange im Herzen getragen, sich entzündete zum wilden Zorn. Er lief zu Nathanael, er warf ihm das unsinnige Betragen gegen die geliebte Schwester in harten Worten vor, die der aufbrausende Nathanael eben so erwiderte. Ein fantastischer, wahnsinniger Geck wurde mit einem miserablen, gemeinen Alltagsmenschen erwidert. Der Zweikampf war unvermeidlich. Sie beschlossen, sich am folgenden Morgen hinter dem Garten nach dortiger akademischer Sitte ⌈mit scharf geschliffenen Stoßrapieren⌉ zu schlagen. Stumm und finster schlichen sie umher, Clara hatte den heftigen Streit gehört und gesehen daß der Fechtmeister in der Dämmerung die Rapiere *brachte. Sie ahnte was geschehen sollte. Auf dem Kampfplatz angekommen hatten Lothar und Nathanael so eben düsterschweigend die Röcke abgeworfen, blutdürstige Kampflust im brennenden Auge wollten sie gegen einander ausfallen, als Clara durch die Gartentür herbeistürzte. Schluchzend rief sie laut: Ihr wilden entsetzlichen Menschen! – stoßt mich nur gleich nieder, ehe ihr euch anfallt; denn wie soll ich denn länger leben auf der Welt, wenn der Geliebte den Bruder, oder wenn der Bruder den Geliebten ermordet hat! – Lothar ließ die Waffe sinken und sah schweigend zur Erde nieder, aber in Nathanael's Innern ging in herzzerreißender Wehmut alle Liebe wieder auf, wie er sie jemals in der herrlichen Jugendzeit schönsten Tagen für die holde Clara empfunden. Das Mordgewehr* entfiel seiner Hand, er stürzte zu Clara's Füßen. Kannst du mir denn jemals verzeihen, du meine einzige, meine herzgeliebte Clara! – Kannst du mir verzeihen, mein herzlieber

Bruder Lothar! – Lothar wurde gerührt von des Freundes tiefem Schmerz; unter tausend Tränen umarmten sich die drei versöhnten Menschen und schwuren, nicht von einander zu lassen in steter Liebe und Treue.

5 Dem Nathanael war es zu Mute, als sei eine schwere Last, die ihn zu Boden gedrückt, von ihm abgewälzt, ja als habe er, Widerstand leistend der finstern Macht, die ihn befangen, sein ganzes Sein, dem Vernichtung drohte, gerettet. Noch drei selige Tage verlebte er bei den Lieben, dann
10 kehrte er zurück nach G., wo er noch ein Jahr zu bleiben, dann aber auf immer nach seiner Vaterstadt zurückzukehren gedachte.

Der Mutter war alles, was sich auf Coppelius bezog, verschwiegen worden; denn man wußte, daß sie nicht ohne
15 Entsetzen an ihn denken konnte, weil sie, wie Nathanael, ihm den Tod ihres Mannes Schuld gab.

Wie erstaunte Nathanael, als er in seine Wohnung wollte und sah, daß das ganze Haus niedergebrannt war, so daß aus dem Schutthaufen nur die nackten Feuermauern her-
20 vorragten. Unerachtet das Feuer in dem Laboratorium des Apothekers, der im untern Stocke wohnte, ausgebrochen war, das Haus daher von unten herauf gebrannt hatte, so war es doch den kühnen, rüstigen Freunden gelungen, noch zu rechter Zeit in Nathanael's im obern Stock gele-
25 genes Zimmer zu dringen, und Bücher, Manuskripte, Instrumente zu retten. Alles hatten sie unversehrt in ein anderes Haus getragen, und dort ein Zimmer in Beschlag genommen, welches Nathanael nun sogleich bezog. Nicht sonderlich achtete er darauf, daß er dem Professor Spalan-
30 zani gegenüber wohnte, und eben so wenig schien es ihm etwas besonderes, als er bemerkte, daß er aus seinem Fenster gerade hinein in das Zimmer blickte, wo oft Olimpia einsam saß, so, daß er ihre Figur deutlich erkennen konnte, wiewohl die Züge des Gesichts undeutlich und verworren

blieben. Wohl fiel es ihm endlich auf, daß Olimpia oft Stundenlang in derselben Stellung, wie er sie einst durch ihre Glastüre entdeckte, ohne irgend eine Beschäftigung an einem kleinen Tische saß und daß sie offenbar unverwandten Blickes nach ihm herüberschaute; er mußte sich auch selbst gestehen, daß er nie einen schöneren Wuchs gesehen; indessen, Clara im Herzen, blieb ihm die steife, starre Olimpia höchst gleichgültig und nur zuweilen sah er flüchtig über sein Compendium* herüber nach der schönen Bildsäule, das war Alles. – Eben schrieb er an Clara, als es leise an die Türe klopfte; sie öffnete sich auf seinen Zuruf und Coppola's widerwärtiges Gesicht sah hinein. Nathanael fühlte sich im Innersten erbeben; eingedenk dessen, was ihm Spalanzani über den Landsmann Coppola gesagt und was er auch Rücksichts *des Sandmanns Coppelius der Geliebten so heilig versprochen, schämte er sich aber selbst seiner kindischen Gespensterfurcht, nahm sich mit aller Gewalt zusammen und sprach so sanft und gelassen, als möglich: »Ich kaufe kein Wetterglas, mein lieber Freund! gehen Sie nur!« Da trat aber Coppola vollends in die Stube und sprach mit heiserem Ton, indem sich das weite Maul zum häßlichen Lachen verzog und die kleinen Augen unter den grauen langen Wimpern stechend hervorfunkelten: »Ei, nix Wetterglas, nix Wetterglas! – hab' auch sköne* ⌜Oke*⌝ – sköne Oke!« – Entsetzt rief Nathanael: »Toller Mensch, wie kannst du Augen haben? – Augen – Augen? –« Aber in dem Augenblick hatte Coppola seine Wettergläser bei Seite gesetzt, griff in die weiten Rocktaschen und holte Lorgnetten* und Brillen heraus, die er auf den Tisch legte. – »Nu – Nu –Brill' – ⌜Brill auf der Nas'⌝ su setze, das sein meine Oke – sköne Oke!« – Und damit holte er immer mehr und mehr Brillen heraus, so, daß es auf dem ganzen Tisch seltsam zu flimmern und zu funkeln begann. Tausend Augen blickten und zuckten krampfhaft und starrten auf zum Nathanael; aber er konnte nicht weg-

Der Sandmann

schauen von dem Tisch, und immer mehr Brillen legte Coppola hin, und immer wilder und wilder sprangen flammende Blicke durch einander und schossen ihre blutrote Strahlen in Nathanael's Brust. Übermannt von tollem Entsetzen schrie er auf: halt ein! halt ein, fürchterlicher Mensch! – Er hatte Coppola, der eben in die Tasche griff, um noch mehr Brillen herauszubringen, unerachtet schon der ganze Tisch überdeckt war, beim Arm festgepackt. Coppola machte sich mit heiserem widrigen Lachen sanft los und mit den Worten: »Ah! – nix für Sie – aber hier sköne Glas« – hatte er alle Brillen zusammengerafft, eingesteckt und aus der Seitentasche des Rocks eine Menge großer und kleiner ⌈Perspektive⌉ hervorgeholt. So wie die Brillen fort waren, wurde Nathanael ganz ruhig und an Clara denkend sah er wohl ein, daß der entsetzliche Spuk nur aus seinem Innern hervorgegangen, so wie daß Coppola ein höchst ehrlicher Mechanicus und Opticus, keinesweges aber Coppelii verfluchter Doppeltgänger und Revenant* sein könne. Zudem hatten alle Gläser, die Coppola nun auf den Tisch gelegt, gar nichts besonderes, am wenigsten so etwas gespenstisches wie die Brillen und, um alles wieder gut zu machen, beschloß Nathanael dem Coppola jetzt wirklich etwas abzukaufen. Er ergriff ein kleines sehr sauber gearbeitetes Taschenperspektiv und sah, um es zu prüfen, durch das Fenster. Noch im Leben war ihm kein Glas vorgekommen, das die Gegenstände so rein, scharf und deutlich dicht vor die Augen rückte. Unwillkürlich sah' er hinein in Spalanzani's Zimmer; Olimpia saß, wie gewöhnlich, vor dem kleinen Tisch, die Arme darauf gelegt, die Hände gefaltet. – Nun erschaute Nathanael erst Olimpia's wunderschön geformtes Gesicht. Nur die Augen schienen ihm gar seltsam starr und tot. Doch wie er immer schärfer und schärfer durch das Glas hinschaute, war es, als gingen in Olimpia's Augen feuchte Mondesstrahlen auf. Es schien, als wenn nun erst die Sehkraft entzündet würde; immer lebendiger

*(franz.) Wiedergänger, Geist, Gespenst

und lebendiger flammten die Blicke. Nathanael lag wie festgezaubert im Fenster, immer fort und fort die himmlisch-schöne Olimpia betrachtend. Ein Räuspern und Scharren weckte ihn, wie aus tiefem Traum. Coppola stand hinter ihm: ⌈Tre Zechini – drei Dukat⌉ – Nathanael hatte den Opticus rein vergessen, rasch zahlte er das verlangte: »Nick so? – sköne Glas – sköne Glas!« frug Coppola mit seiner widerwärtigen heisern Stimme und dem hämischen Lächeln. »Ja ja, ja!« erwiderte Nathanael verdrießlich. »Adieu, lieber Freund!« – Coppola verließ nicht ohne viele seltsame Seitenblicke auf Nathanael, das Zimmer. Er hörte ihn auf der Treppe laut lachen. »Nun ja, meinte Nathanael, er lacht mich aus, weil ich ihm das kleine Perspektiv gewiß viel zu teuer bezahlt habe – zu teuer bezahlt!« – Indem er diese Worte leise sprach, war es, als halle ein tiefer Todesseufzer grauenvoll durch das Zimmer, Nathanael's Atem stockte vor innerer Angst. – Er hatte ja aber selbst so aufgeseufzt, das merkte er wohl. Clara, sprach er zu sich selber, hat wohl Recht, daß sie mich für einen abgeschmackten Geisterseher hält; aber närrisch ist es doch – ach wohl mehr, als närrisch, daß mich der dumme Gedanke, ich hätte das Glas dem Coppola zu teuer bezahlt, noch jetzt so sonderbar ängstigt; den Grund davon sehe ich gar nicht ein. – Jetzt setzte er sich hin, um den Brief an Clara zu enden, aber ein Blick durchs Fenster überzeugte ihn, daß Olimpia noch da säße und im Augenblick, wie von unwiderstehlicher Gewalt getrieben, sprang er auf, ergriff Coppola's Perspektiv und konnte nicht los von Olimpia's verführerischem Anblick, bis ihn Freund und Bruder Siegmund abrief in's Collegium bei dem Professor Spalanzani. Die Gardine vor dem verhängnisvollen Zimmer war dicht zugezogen, er konnte Olimpia eben so wenig hier, als die beiden folgenden Tage hindurch in ihrem Zimmer, entdekken, unerachtet er kaum das Fenster verließ und fortwährend durch Coppola's Perspektiv hinüberschaute. Am dritten Tage wurden sogar die Fenster verhängt. Ganz verzweifelt und getrieben von Sehnsucht und glühendem Verlangen lief er hinaus vor's Tor. Olimpia's Gestalt schwebte vor ihm her in den Lüften und trat aus dem Gebüsch, und guckte ihn an mit großen strahlenden Augen, aus dem hellen Bach. Clara's Bild war ganz aus seinem Innern gewichen, er dachte nichts, als Olimpia und klagte ganz laut und weinerlich: Ach du mein hoher herrlicher ⌐Liebesstern⌐, bist du mir denn nur aufgegangen, um gleich wieder zu verschwinden, und mich zu lassen in finstrer hoffnungsloser Nacht?

Als er zurückkehren wollte in seine Wohnung, wurde er in Spalanzani's Hause ein geräuschvolles Treiben gewahr. Die Türen standen offen, man trug allerlei Geräte hinein, die Fenster des ersten Stocks waren ausgehoben, geschäftige Mägde kehrten und stäubten mit großen Haarbesen hin und herfahrend, inwendig klopften und hämmerten Tischler und Tapezierer. Nathanael blieb in vollem Erstaunen auf der Straße stehen; da trat Siegmund lachend zu ihm und sprach: »Nun, was sagst du zu unserem alten Spalanzani?« Nathanael versicherte, daß er gar nichts sagen könne, da er durchaus nichts vom Professor wisse, vielmehr mit großer Verwunderung wahrnehme, wie in dem stillen düstern Hause ein tolles Treiben und Wirtschaften losgegangen; da erfuhr er denn von Siegmund, daß Spalanzani morgen ein großes Fest geben wolle, Konzert und Ball, und daß die halbe Universität eingeladen sei. Allgemein verbreite man, daß Spalanzani seine Tochter Olimpia, die er so lange jedem menschlichen Auge recht ängstlich entzogen, zum erstenmal erscheinen lassen werde.

Nathanael fand eine Einladungskarte und ging mit hochklopfendem Herzen zur bestimmten Stunde, als schon die Wagen rollten und die Lichter in den geschmückten Sälen schimmerten, zum Professor. Die Gesellschaft war zahlreich und glänzend. Olimpia erschien sehr reich und geschmackvoll gekleidet. Man mußte ihr schöngeformtes Gesicht, ihren Wuchs bewundern. Der etwas seltsam eingebogene Rücken, die wespenartige Dünne des Leibes schien von zu starkem ⌈Einschnüren⌉ bewirkt zu sein. In Schritt und Stellung hatte sie etwas abgemessenes und steifes, das manchem unangenehm auffiel; man schrieb es dem Zwange zu, den ihr die Gesellschaft auflegte. ⌈Das Konzert begann⌉. Olimpia spielte den Flügel mit großer Fertigkeit und trug eben so eine Bravour-Arie mit heller, beinahe schneidender Glasglockenstimme vor. Nathanael war ganz entzückt; er stand in der hintersten Reihe und konnte im blendenden Kerzenlicht Olimpia's Züge nicht ganz erkennen. Ganz unvermerkt nahm er deshalb Coppola's Glas hervor und schaute hin nach der schönen Olimpia. Ach! – da wurde er gewahr, wie sie voll Sehnsucht nach ihm herübersah, wie jeder Ton erst deutlich aufging in dem Liebesblick der zündend sein Inneres durchdrang. Die künstlichen Rouladen* schienen dem Nathanael das Himmelsjauchzen des in Liebe verklärten Gemüts , und als nun endlich nach der ⌈Kadenz⌉ der lange Trillo* recht schmetternd durch den Saal gellte, konnte er wie von glühenden Ärmen plötzlich erfaßt sich nicht mehr halten, er mußte vor Schmerz und Entzücken laut aufschreien: Olimpia! – Alle sahen sich um nach ihm, manche lachten. Der Domorganist schnitt aber noch ein finstreres Gesicht, als vorher und sagte bloß: Nun nun! – Das Konzert war zu Ende, der Ball fing an. Mit ihr zu tanzen! – mit ihr! das war nun dem Nathanael das Ziel aller Wünsche, alles Strebens; aber wie sich erheben zu dem Mut, sie, die Königin des Festes, aufzufordern? Doch! – er selbst wußte nicht wie es geschah, daß er, als schon der Tanz angefangen, dicht neben Olimpia stand, die noch nicht aufgefordert worden, und daß er, kaum vermögend einige Worte zu stammeln, ihre Hand ergriff. Eiskalt war Olimpia's Hand, er fühlte sich durchbebt von grausigem Todesfrost, er starrte Olimpia ins Au-

Perlende Läufe im Gesang zur Ausschmückung der Melodie

(ital.) Triller

ge, das strahlte ihm voll Liebe und Sehnsucht entgegen und in dem Augenblick war es auch, als fingen an in der kalten Hand Pulse zu schlagen und des Lebensblutes Ströme zu glühen. Und auch in Nathanael's Innerm glühte höher auf die Liebeslust, er umschlang die schöne Olimpia und durchflog mit ihr die Reihen. – Er glaubte sonst recht takt-mäßig getanzt zu haben, aber an der ganz eignen rhyth-mischen Festigkeit, womit Olimpia tanzte und die ihn oft ordentlich aus der Haltung brachte, merkte er bald, wie sehr ihm der Takt gemangelt. Er wollte jedoch mit keinem andern Frauenzimmer mehr tanzen und hätte jeden, der sich Olimpia näherte, um sie aufzufordern, nur gleich er-morden mögen. Doch nur zweimal geschah dies, zu seinem Erstaunen blieb darauf Olimpia bei jedem Tanze sitzen und er ermangelte nicht, immer wieder sie aufzuziehen. Hätte Nathanael außer der schönen Olimpia noch etwas anders zu sehen vermocht, so wäre allerlei fataler Zank und Streit unvermeidlich gewesen; denn offenbar ging das halbleise, mühsam unterdrückte Gelächter, was sich in diesem und jenem Winkel unter den jungen Leuten erhob, auf die schö-ne Olimpia, die sie mit ganz kuriosen Blicken verfolgten, man konnte gar nicht wissen, warum? Durch den Tanz und durch den reichlich genossenen Wein erhitzt, hatte Na-thanael alle ihm sonst eigne Scheu abgelegt. Er saß neben Olimpia, ihre Hand in der seinigen und sprach hoch ent-flammt und begeistert von seiner Liebe in Worten, die kei-ner verstand, weder er, noch Olimpia. Doch diese viel-leicht; denn sie sah ihm unverrückt ins Auge und seufzte einmal über's andere: Ach – Ach – Ach! – worauf denn Nathanael also sprach »O du herrliche, himmlische Frau! – Du Strahl aus dem verheißenen Jenseits der Liebe – Du tiefes Gemüt, in dem sich mein ganzes Sein spiegelt« und noch mehr dergleichen, aber Olimpia seufzte bloß immer wieder: Ach, Ach! – Der Professor Spalanzani ging einige-mal bei den Glücklichen vorüber und lächelte sie ganz seltsam zufrieden an. Dem Nathanael schien es, unerachtet er sich in einer ganz andern Welt befand, mit einemmal, als würd' es hienieden beim Professor Spalanzani merklich finster; er schaute um sich und wurde zu seinem nicht geringen Schreck gewahr, daß eben die zwei letzten Lichter in dem leeren Saal hernieder brennen und ausgehen wollten. Längst hatten Musik und Tanz aufgehört. »Trennung, Trennung«, schrie er ganz wild und verzweifelt, er küßte Olimpia's Hand, er neigte sich zu ihrem Munde, eiskalte Lippen begegneten seinen glühenden! – So wie, als er Olimpia's kalte Hand berührte, fühlte er sich von innerem Grausen erfaßt, die ⌜Legende von der toten Braut⌝ ging ihm plötzlich durch den Sinn; aber fest hatte ihn Olimpia an sich gedrückt, und in dem Kuß schienen die Lippen ⌜zum Leben zu erwarmen⌝. – Der Professor Spalanzani schritt langsam durch den leeren Saal, seine Schritte klangen hohl wider und seine Figur, von flackernden Schlagschatten* umspielt, hatte ein grauliches gespenstisches Ansehen. »Liebst du mich – Liebst du mich Olimpia? – Nur dies Wort! – Liebst du mich?« So flüsterte Nathanael, aber Olimpia seufzte, indem sie aufstand, nur: »Ach – Ach!« »Ja du mein holder, herrlicher Liebesstern, sprach Nathanael, bist mir aufgegangen und wirst leuchten, wirst verklären mein Inneres immerdar!« »Ach, ach!« replizierte Olimpia fortschreitend. Nathanael folgte ihr, sie standen vor dem Professor. »Sie haben sich außerordentlich lebhaft mit meiner Tochter unterhalten«, sprach dieser lächelnd: »Nun, nun, lieber Herr Nathanael, finden Sie Geschmack daran, mit dem blöden* Mädchen zu konversieren*, so sollen mir Ihre Besuche willkommen sein.« – Einen ganzen hellen strahlenden Himmel in der Brust schied Nathanael von dannen: Spalanzani's Fest war der Gegenstand des Gesprächs in den folgenden Tagen. Unerachtet der Professor alles getan hatte, recht splendid* zu erscheinen, so wußten doch die lustigen Köpfe von allerlei Unschicklichem und

Scharf umrissener Schatten, den ein hell erleuchteter Gegenstand wirft

Hier: scheuen, unerfahrenen

(franz.) plaudern, sich zu unterhalten

(franz.) freigebig, glanzvoll

Sonderbarem zu erzählen, das sich begeben, und vorzüglich fiel man über die todstarre, stumme Olimpia her, der man, ihres schönen Äußern unerachtet, totalen Stumpfsinn andichten und darin die Ursache finden wollte, warum Spalanzani sie so lange verborgen gehalten. Nathanael vernahm das nicht ohne innern Grimm, indessen schwieg er; denn, dachte er, würde es wohl verlohnen, diesen Burschen zu beweisen, daß eben ihr eigner Stumpfsinn es ist, der sie Olimpia's tiefes herrliches Gemüt zu erkennen hindert? »Tu' mir den Gefallen Bruder, sprach eines Tages Siegmund, tu' mir den Gefallen und sage, wie es dir gescheuten Kerl möglich war, dich in das Wachsgesicht, in die Holzpuppe da drüben zu vergaffen?« Nathanael wollte zornig auffahren, doch schnell besann er sich und erwiderte: »Sage *du* mir Siegmund, wie deinem, sonst alles Schöne klar auffassenden Blick, deinem regen Sinn, Olimpia's himmlischer Liebreiz entgehen konnte? Doch eben deshalb habe ich, Dank sei es dem Geschick, dich nicht zum Nebenbuhler; denn sonst müßte einer von uns blutend fallen.« Siegmund merkte wohl, wie es mit dem Freunde stand, lenkte geschickt ein, und fügte, nachdem er geäußert, daß in der Liebe niemals über den Gegenstand zu richten sei, hinzu: »Wunderlich ist es doch, daß viele von uns über Olimpia ziemlich gleich urteilen. Sie ist uns – nimm es nicht übel, Bruder! – auf seltsame Weise starr und seelenlos erschienen. Ihr Wuchs ist regelmäßig, so wie ihr Gesicht, das ist wahr! – Sie könnte für schön gelten, wenn ihr Blick nicht so ganz ohne Lebensstrahl, ich möchte sagen, ohne Sehkraft wäre. Ihr Schritt ist sonderbar abgemessen, jede Bewegung scheint durch den Gang eines aufgezogenen Räderwerks bedingt. Ihr Spiel, ihr Singen hat den unangenehm richtigen geistlosen Takt der singenden Maschine und eben so ist ihr Tanz. Uns ist diese Olimpia ganz unheimlich geworden, wir mochten nichts mit ihr zu schaffen haben, es war uns als tue sie nur so wie ein leben-

diges Wesen und doch habe es mit ihr eine eigne Bewandtnis.« – Nathanael gab sich dem bittern Gefühl, das ihn bei
diesen Worten Siegmund's ergreifen wollte, durchaus nicht
hin, er wurde Herr seines Unmuts und sagte bloß sehr
ernst: »Wohl mag euch, ihr kalten prosaischen Menschen,   5
Olimpia unheimlich sein. Nur dem poetischen Gemüt ent-
faltet sich das gleich organisierte! – Nur *mir* ging ihr Liebesblick auf und durchstrahlte Sinn und Gedanken, nur in
Olimpia's Liebe finde ich mein Selbst wieder. Euch mag es
nicht recht sein, daß sie nicht in platter Konversation faselt,   10
wie die andern flachen Gemüter. Sie spricht wenig Worte,
das ist wahr; aber diese wenigen Worte erscheinen als echte
⌐Hieroglyphe¬ der innern Welt voll Liebe und hoher Erkenntnis des geistigen Lebens in der Anschauung des ewi-
gen Jenseits. Doch für Alles das habt ihr keinen Sinn und   15
alles sind verlorne Worte.« »Behüte dich Gott, Herr Bruder«, sagte Siegmund sehr sanft, beinahe wehmütig, »aber
mir scheint es, du seist auf bösem Wege. Auf mich kannst
du rechnen, wenn alles – Nein, ich mag nichts weiter sagen! –« Dem Nathanael war es plötzlich, als meine der   20
kalte prosaische Siegmund es sehr treu mit ihm, er schüt-
telte daher die ihm dargebotene Hand recht herzlich. –
Nathanael hatte rein vergessen, daß es eine Clara in der
Welt gebe, die er sonst geliebt; – die Mutter – Lothar – Alle
waren aus seinem Gedächtnis entschwunden, er lebte nur   25
für Olimpia, bei der er täglich Stundenlang saß und von
seiner Liebe, von zum Leben erglühter Sympathie, von psychischer ⌐Wahlverwandtschaft¬ fantasierte, welches alles
Olimpia mit großer Andacht anhörte. Aus dem tiefsten
Grunde des Schreibpults holte Nathanael alles hervor, was   30
er jemals geschrieben. Gedichte, Fantasien, Visionen, Romane, Erzählungen, das wurde täglich vermehrt mit allerlei ins Blaue fliegenden ⌐Sonetten, Stanzen, Canzonen¬, und
das alles las er der Olimpia Stundenlang hinter einander
vor, ohne zu ermüden. Aber auch noch nie hatte er eine   35

solche herrliche Zuhörerin gehabt. Sie stickte und strickte nicht, sie sah nicht durch's Fenster, sie fütterte keinen Vogel, sie spielte mit keinem Schoßhündchen, mit keiner Lieblingskatze, sie drehte kein Papierschnitzchen, oder sonst etwas in der Hand, sie durfte kein Gähnen durch einen leisen erzwungenen Husten bezwingen – Kurz! – Stundenlang sah sie mit starrem Blick unverwandt dem Geliebten ins Auge, ohne sich zu rücken und zu bewegen und immer glühender, immer lebendiger wurde dieser Blick. Nur wenn Nathanael endlich aufstand und ihr die Hand, auch wohl den Mund küßte, sagte sie: »Ach, Ach!« – dann aber: »Gute Nacht, mein Lieber!« – »O du herrliches, du tiefes Gemüt, rief Nathanael auf seiner Stube: nur von dir, von dir allein werd' ich ganz verstanden.« Er erbebte vor innerm Entzücken, wenn er bedachte, welch' wunderbarer Zusammenklang sich in seinem und Olimpia's Gemüt täglich mehr offenbare; denn es schien ihm, als habe Olimpia über seine Werke, über seine Dichtergabe überhaupt recht tief aus seinem Innern gesprochen, ja als habe die Stimme aus seinem Innern selbst herausgetönt. Das mußte denn wohl auch sein; denn mehr Worte als vorhin erwähnt, sprach Olimpia niemals. Erinnerte sich aber auch Nathanael in hellen nüchternen Augenblicken, z. B. Morgens gleich nach dem Erwachen, wirklich an Olimpia's gänzliche Passivität und Wortkargheit, so sprach er doch: »Was sind Worte – Worte! – Der Blick ihres himmlischen Auges sagt mehr als jede Sprache hienieden. Vermag denn überhaupt ein Kind des Himmels sich einzuschichten in den engen Kreis, den ein klägliches irdisches Bedürfnis gezogen?« – Professor Spalanzani schien hoch erfreut über das Verhältnis seiner Tochter mit Nathanael; er gab diesem allerlei unzweideutige Zeichen seines Wohlwollens und als es Nathanael endlich wagte von ferne auf eine Verbindung mit Olimpia anzuspielen, lächelte dieser mit dem ganzen Gesicht und meinte: Er werde seiner Tochter völlig freie

Wahl lassen. – Ermutigt durch diese Worte, brennendes Verlangen im Herzen, beschloß Nathanael, gleich am folgenden Tage Olimpia anzuflehen, daß sie das unumwunden in deutlichen Worten ausspreche, was längst ihr holder Liebesblick ihm gesagt, daß sie sein Eigen immerdar sein wolle. Er suchte nach dem Ringe, den ihm beim Abschiede die Mutter geschenkt, um ihn Olimpia als Symbol seiner Hingebung, seines mit ihr aufkeimenden, blühenden Lebens darzureichen. Clara's, Lothar's Briefe fielen ihm dabei in die Hände; gleichgültig warf er sie bei Seite, fand den Ring, steckte ihn ein und rannte herüber zu Olimpia. Schon auf der Treppe, auf dem Flur, vernahm er ein wunderliches Getöse; es schien aus Spalanzani's Studierzimmer heraus zu schallen. – Ein Stampfen – ein Klirren – ein Stoßen – Schlagen gegen die Tür, dazwischen Flüche und Verwünschungen. »Laß los – laß los – Infamer – Verruchter! – Darum Leib und Leben daran gesetzt? – ha ha ha ha! – so haben wir nicht gewettet – ich, ich hab' die Augen gemacht – ich das Räderwerk – dummer Teufel mit deinem Räderwerk – verfluchter Hund von einfältigem Uhrmacher – fort mit dir – Satan – halt – ⌐Peipendreher⌐ – teuflischer Bestie! – halt – fort – laß los!« – Es waren Spalanzani's und des gräßlichen Coppelius Stimmen, die so durch einander schwirrten und tobten. Hinein stürzte Nathanael von namenloser Angst ergriffen. Der Professor hatte eine weibliche Figur bei den Schultern gepackt, der Italiäner Coppola bei den Füßen, die zerrten und zogen sie hin und her, streitend in voller Wut um den Besitz. Voll tiefen Entsetzens prallte Nathanael zurück, als er die Figur für Olimpia erkannte; aufflammend in wildem Zorn wollte er den Wütenden die Geliebte entreißen, aber in dem Augenblick wand Coppola sich mit Riesenkraft drehend die Figur dem Professor aus den Händen und versetzte ihm mit der Figur selbst einen fürchterlichen Schlag, daß er rücklings über den Tisch, auf dem ⌐Phiolen, Retorten⌐, Flaschen, gläserne

Zylinder standen, taumelte und hinstürzte; alles Gerät klirrte in tausend Scherben zusammen. Nun warf Coppola die Figur über die Schulter und rannte mit fürchterlich gellendem Gelächter rasch fort die Treppe herab, so daß die häßlich herunterhängenden Füße der Figur auf den Stufen hölzern klapperten und dröhnten. – Erstarrt stand Nathanael – nur zu deutlich hatte er gesehen, Olimpia's toderbleichtes Wachsgesicht hatte keine Augen, statt ihrer schwarze Höhlen; sie war eine leblose Puppe. Spalanzani wälzte sich auf der Erde, Glasscherben hatten ihm Kopf, Brust und Arm zerschnitten, wie aus Springquellen strömte das Blut empor. Aber er raffte seine Kräfte zusammen. »Ihm nach – ihm nach, was zauderst du? – Coppelius – Coppelius, mein bestes Automat hat er mir geraubt – Zwanzig Jahre daran gearbeitet – Leib und Leben daran gesetzt – das Räderwerk – Sprache – Gang – mein – die Augen – die Augen dir gestohlen. – Verdammter – Verfluchter – ihm nach – hol mir Olimpia – da hast du die Augen! –« Nun sah Nathanael, wie ein Paar blutige Augen auf dem Boden liegend ihn anstarrten, die ergriff Spalanzani mit der unverletzten Hand und warf sie nach ihm, daß sie seine Brust trafen. – Da packte ihn der ⌈Wahnsinn⌉ mit glühenden Krallen und fuhr in sein Inneres hinein Sinn und Gedanken zerreißend. »Hui – hui – hui! – *Feuerkreis* – *Feuerkreis*! dreh dich *Feuerkreis* – lustig – lustig! – Holzpüppchen hui schön' Holzpüppchen dreh dich –« damit warf er sich auf den Professor und drückte ihm die Kehle zu. Er hätte ihn erwürgt, aber das Getöse hatte viele Menschen herbeigelockt, die drangen ein, rissen den wütenden Nathanael auf und retteten so den Professor, der gleich verbunden wurde. Siegmund, so stark er war, vermochte nicht den Rasenden zu bändigen; der schrie mit fürchterlicher Stimme immer fort: »Holzpüppchen dreh dich« und schlug um sich mit geballten Fäusten. Endlich gelang es der vereinten Kraft mehrerer, ihn zu überwältigen, indem sie

ihn zu Boden warfen und banden. Seine Worte gingen unter in entsetzlichem tierischen Gebrüll. So in gräßlicher Raserei tobend wurde er nach dem Tollhause gebracht. –
Ehe ich, günstiger Leser! dir zu erzählen fortfahre, was sich weiter mit dem unglücklichen Nathanael zugetragen, kann ich dir, solltest du einigen Anteil an dem geschickten Mechanikus und Automat-Fabrikanten Spalanzani nehmen, versichern, daß er von seinen Wunden völlig geheilt wurde. Er mußte indes die Universität verlassen, weil Nathanael's Geschichte Aufsehen erregt hatte und es allgemein für gänzlich unerlaubten Betrug gehalten wurde, vernünftigen Teezirkeln (Olimpia hatte sie mit Glück besucht) statt der lebendigen Person eine Holzpuppe einzuschwärzen*. Juristen nannten es sogar einen feinen und um so härter zu bestrafenden Betrug, als er gegen das Publikum gerichtet und so schlau angelegt worden, daß kein Mensch (ganz kluge Studenten ausgenommen) es gemerkt habe, unerachtet jetzt alle weise tun und sich auf allerlei Tatsachen berufen wollten, die ihnen verdächtig vorgekommen. Diese letzteren brachten aber eigentlich nichts gescheutes zu Tage. Denn konnte z. B. wohl irgend jemanden verdächtig vorgekommen sein, daß nach der Aussage eines eleganten ⌈Teeisten⌉ Olimpia gegen alle Sitte öfter genieset, als gegähnt hatte? Ersteres, meinte der Elegant*, sei das Selbstaufziehen des verborgenen Triebwerks gewesen, merklich habe es dabei geknarrt u. s. w. Der Professor der Poesie und Beredsamkeit nahm eine Prise, klappte die Dose zu, räusperte sich und sprach feierlich: »Hochzuverehrende Herren und Damen! merken Sie denn nicht, wo der Hase im Pfeffer liegt? Das Ganze ist eine Allegorie* – eine fortgeführte Metapher*! – Sie verstehen mich! – ⌈Sapienti sat!⌉«
Aber viele hochzuverehrende Herren beruhigten sich nicht dabei; die Geschichte mit dem Automat hatte tief in ihrer Seele Wurzel gefaßt und es schlich sich in der Tat abscheuliches Mißtrauen gegen menschliche Figuren ein. Um nun

einzuschmuggeln

(franz.) Auffallend modisch gekleideter Mann, Modegeck

Sinnbild, Gleichnis

Wort mit übertragener Bedeutung

ganz überzeugt zu werden, daß man keine Holzpuppe liebe, wurde von mehrern Liebhabern verlangt, daß die Geliebte etwas taktlos singe und tanze, daß sie beim Vorlesen
sticke, stricke, mit dem Möpschen spiele u. s. w. vor allen
Dingen aber, daß sie nicht bloß höre, sondern auch manchmal in der Art spreche, daß dies Sprechen wirklich ein Denken und Empfinden voraussetze. Das Liebesbündnis vieler
wurde fester und dabei anmutiger, andere dagegen gingen
leise aus einander. »Man kann wahrhaftig nicht dafür stehen«, sagte dieser und jener. In den Tees wurde unglaublich
gegähnt und niemals genieset, um jedem Verdacht zu be-
gegnen. Spalanzani mußte, wie gesagt, fort, um der Kri-
minaluntersuchung wegen der menschlichen Gesellschaft
betrüglicher Weise eingeschobenen Automats zu entgehen.
Coppola war auch verschwunden. –
Nathanael erwachte wie aus schwerem, fürchterlichem
Traum, er schlug die Augen auf und fühlte wie ein unbe-
schreibliches Wonnegefühl mit sanfter himmlischer Wärme ihn durchströmte. Er lag in seinem Zimmer in des Vaters Hause auf dem Bette, Clara hatte sich über ihn hingebeugt und unfern standen die Mutter und Lothar. »Endlich, endlich, o mein herzlieber Nathanael – nun bist du
genesen von schwerer Krankheit – nun bist du wieder
mein!« – So sprach Clara recht aus tiefer Seele und faßte
den Nathanael in ihre Arme. Aber dem quollen vor lauter
Wehmut und Entzücken die hellen glühenden Tränen aus
den Augen und er stöhnte tief auf: »Meine – meine Clara!« – Siegmund, der getreulich ausgeharrt bei dem Freunde in großer Not, trat herein. Nathanael reichte ihm die
Hand: »Du treuer Bruder hast mich doch nicht verlassen.« – Jede Spur des Wahnsinns war verschwunden, bald
erkräftigte sich Nathanael in der sorglichen Pflege der
Mutter, der Geliebten, der Freunde. Das Glück war unter-
dessen in das Haus eingekehrt; denn ein alter karger
Oheim*, von dem niemand etwas gehofft, war gestorben Onkel

und hatte der Mutter nebst einem nicht unbedeutenden Vermögen ein Gütchen in einer angenehmen Gegend unfern der Stadt hinterlassen. Dort wollten sie hinziehen, die Mutter, Nathanael mit seiner Clara, die er nun zu heiraten gedachte, und Lothar. Nathanael war milder, kindlicher geworden, als er je gewesen und erkannte nun erst recht Clara's himmlisch reines, herrliches Gemüt. Niemand erinnerte ihn auch nur durch den leisesten ⌈Anklang an die Vergangenheit⌉. Nur, als Siegmund von ihm schied, sprach Nathanael: »bei Gott Bruder! ich war auf schlimmem Wege, aber zu rechter Zeit leitete mich ein Engel auf den lichten Pfad! – Ach es war ja Clara! –« Siegmund ließ ihn nicht weiter reden, aus Besorgnis, tief verletzende Erinnerungen möchten ihm zu hell und flammend aufgehen. – Es war an der Zeit, daß die vier glücklichen Menschen nach dem Gütchen ziehen wollten. ⌈Zur Mittagsstunde gingen sie⌉ durch die Straßen der Stadt. Sie hatten manches eingekauft, der hohe Ratsturm warf seinen Riesenschatten über den Markt. »Ei! sagte Clara: steigen wir doch noch einmal herauf und schauen in das ferne Gebirge hinein!« Gesagt, getan! Beide, Nathanael und Clara, stiegen herauf, die Mutter ging mit der Dienstmagd nach Hause, und Lothar, nicht geneigt, die vielen Stufen zu erklettern, wollte unten warten. ⌈Da standen die beiden Liebenden⌉ Arm in Arm auf der höchsten Galerie des Turmes und schauten hinein in die duftigen Waldungen, hinter denen das blaue Gebirge, wie eine Riesenstadt, sich erhob.

»Sieh doch den sonderbaren kleinen grauen Busch, der ordentlich auf uns los zu schreiten scheint«, frug Clara. – Nathanael faßte mechanisch nach der Seitentasche; er fand Coppola's Perspektiv, er schaute seitwärts – Clara stand vor dem Glase! – Da zuckte es krampfhaft in seinen Pulsen und Adern – totenbleich starrte er Clara an, aber bald glühten und sprühten Feuerströme durch die rollenden Augen, ⌈gräßlich brüllte er auf, wie ein gehetztes Tier⌉; dann

sprang er hoch in die Lüfte und grausig dazwischen lachend schrie er in schneidendem Ton: »Holzpüppchen
dreh dich – Holzpüppchen dreh dich« – und mit gewaltiger
Kraft faßte er Clara und wollte sie herabschleudern, aber
Clara krallte sich in verzweifelnder Todesangst fest an das
Geländer. Lothar hörte den Rasenden toben, er hörte Cla-
ra's Angstgeschrei, gräßliche Ahnung durchflog ihn, er
rannte herauf, die Tür der zweiten Treppe war verschlos-
sen – stärker hallte Clara's Jammergeschrei. Unsinnig vor
Wut und Angst stieß er gegen die Tür, die endlich auf-
sprang – Matter und matter wurden nun Clara's Laute:
»Hülfe – rettet – rettet –« so erstarb die Stimme in den
Lüften. Sie ist hin – ermordet von dem Rasenden, so schrie
Lothar. Auch die Tür zur Galerie war zugeschlagen. – Die
Verzweiflung gab ihm Riesenkraft, er sprengte die Tür aus
den Angeln. Gott im Himmel – Clara schwebte von dem
rasenden Nathanael erfaßt über der Galerie in den Lüften –
nur mit einer Hand hatte sie noch die Eisenstäbe umklam-
mert. Rasch wie der Blitz erfaßte Lothar die Schwester, zog
sie hinein, und schlug in demselben Augenblick mit geballter Faust dem Wütenden in's Gesicht, daß er zurückprallte
und die Todesbeute fahren ließ.
Lothar rannte herab, die ohnmächtige Schwester in den
Armen. – Sie war gerettet. – ⌐Nun raste Nathanael herum⌐
auf der Galerie und sprang hoch in die Lüfte und schrie
»*Feuerkreis* dreh' dich – *Feuerkreis* dreh' dich« – Die Menschen liefen auf das wilde Geschrei zusammen; unter ihnen
ragte riesengroß der Advokat Coppelius hervor, der eben
in die Stadt gekommen und gerades Weges nach dem
Markt geschritten war. Man wollte herauf, um sich des
Rasenden zu bemächtigen, da lachte Coppelius sprechend:
»ha ha – wartet nur, der kommt schon herunter von
selbst«, und schaute wie die übrigen hinauf. Nathanael
blieb plötzlich wie erstarrt stehen, er bückte sich herab,
wurde den Coppelius gewahr und mit dem gellenden

Schrei: »Ha! Sköne Oke – Sköne Oke«, sprang er über das Geländer. –

Als Nathanael mit zerschmettertem Kopf auf dem Steinpflaster lag, war Coppelius im Gewühl verschwunden. – Nach mehreren Jahren will man in einer entfernten Gegend Clara gesehen haben, wie sie mit einem freundlichen Mann, Hand in Hand vor der Türe eines schönen Landhauses saß und vor ihr zwei muntre Knaben spielten. Es wäre daraus zu schließen, daß Clara das ruhige häusliche Glück noch fand, das ihrem heitern lebenslustigen Sinn zusagte und das ihr der im Innern zerrissene Nathanael niemals hätte gewähren können.

Kommentar

Zeittafel

1776 Ernst Theodor Wilhelm Hoffmann wird am 24. Januar als drittes Kind des Hofgerichts-Advokaten Christoph Ludwig Hoffmann (1736–1797) und seiner Ehefrau Louise Albertine, geb. Doerffer (1748–1796), im preußischen Königsberg geboren. Aus Verehrung für Wolfgang Amadeus Mozart (1756–1791) wandelt Hoffmann 1805 den zweiten Vornamen Wilhelm in Amadeus um.

1778 Die Eltern lassen sich scheiden. Der ältere Bruder wird dem Vater zugesprochen, Hoffmann bleibt bei seiner Mutter und wächst unter der Obhut der Doerffer'schen Familie auf.

1782 Er tritt in die reformierte Burgschule in Königsberg ein (bis 1792).

1786 Er lernt Theodor Gottlieb von Hippel (1775–1843) kennen; die Freundschaft der beiden sollte bis zu Hoffmanns Tod währen.

1790 Hoffmann erhält Musikunterricht beim Domorganisten Podbielski und Zeichenunterricht bei dem Maler Saemann. Er zeigt in beiden Künsten besondere Begabung.

1792 Er immatrikuliert sich an der juristischen Fakultät in Königsberg; hauptsächlich, um die familiäre Tradition zu wahren.

1794 Sein Freund Hippel schließt sein Jurastudium ab und verlässt Königsberg. Es beginnt ein intensiver Briefverkehr zwischen Hoffmann und ihm.

1795 Hoffmann absolviert sein erstes juristisches Examen und wird danach Auskultator (Referendar) am Gericht in Königsberg.

1796 Hoffmann wird wegen einer Liebesgeschichte mit der neun Jahre älteren und verheirateten Dora Hatt (1766–1803) in die Obhut seines Patenonkels Johann Ludwig Doerffer (1743–1803) nach Glogau gegeben. Hoffmanns Mutter stirbt am 13. März.

1797 Sein Vater stirbt am 27. April. Letztes Wiedersehen mit Dora Hatt.

1798 Hoffmann verlobt sich mit seiner Kusine Minna Doerffer (1775–1853), der jüngsten Tochter seines Onkels Johann. Mitte des Jahres legt er sein juristisches Referendarexamen ab. Über Dresden reist Hoffmann nach Berlin, wo er bei seinem Onkel Johann wohnt und Musikunterricht bei dem Komponisten Johann Friedrich Reichardt (1752–1814) nimmt.

1799 Er komponiert und verfasst das dreiaktige Singspiel *Die Maske*, welches er vergeblich zur Aufführung im königlichen Nationaltheater anbietet.

1800 Er legt sein drittes juristisches Staatsexamen ab und wird zum Assessor am Obergericht Posen ernannt.

1801 Zahlreiche Kompositionen entstehen, u. a. das in Posen aufgeführte Singspiel *Scherz, List und Rache* nach einem Text Johann Wolfgang Goethes (1749–1832). Jean Paul Friedrich Richter (1763–1825) lässt die Partitur zusammen mit einer Empfehlung Goethe zukommen.

1802 Hoffmann löst sein Verlöbnis mit Minna Doerffer. Wegen seiner Karikaturen von einflussreichen Mitgliedern der Posener Gesellschaft wird er in die polnische Kleinstadt Płock/Weichsel strafversetzt. Am 26. Juli heiratet er die Polin Maria Thekla Michaelina Rorer-Trzcińska (1778–1859); wenig später übersiedelt das Paar nach Płock. Dort widmet er sich dem Studium der Kompositionstheorie und verfasst Kirchenmusik und Klavierstücke. Er wird zum Regierungsrat ernannt.

1803 Im September erscheint die erste literarische Veröffentlichung Hoffmanns in August von Kotzebues (1761–1819) Zeitschrift *Der Freimüthige*: das *Schreiben eines Klostergeistlichen an seinen Freund in der Hauptstadt*.

1804 Im März wird Hoffmann als Regierungsrat in das damals preußische Warschau versetzt, wo er Freundschaft mit seinem späteren Biographen Julius Eduard Hitzig (1780–1849) schließt.

1805 Er lernt den Dramatiker Friedrich Ludwig Zacharias Werner (1768–1823) kennen, für den er die Bühnenmusik zu *Kreuz an der Ostsee* komponiert. Hoffmanns Tochter Cäcilia wird geboren.

1806 Nach dem Einmarsch Napoleons (1769–1821) in die Stadt Warschau am 28. November verliert Hoffmann im Zuge der Auflösung der preußischen Verwaltung seine Stellung.

1807 Hoffmann verweigert den »Ergebenheitsschwur« für Napoleon und muss die Stadt verlassen. Mischa und Cäcilia reisen zu Verwandten nach Posen. Hoffmann erkrankt schwer. Im Juni bricht er nach Berlin auf, wo er erfolglos versucht, seinen Lebensunterhalt als Künstler zu verdienen (»Hungerjahr«). Im August stirbt seine Tochter Cäcilia in Posen.

1808 Im April wird Hoffmann als Musikdirektor nach Bamberg berufen und gibt dort im Oktober ein misslungenes Debüt als Dirigent. Er legt die Orchesterleitung nieder und betätigt sich nur noch als Theaterkomponist. Er lebt nun vom privaten Musikunterricht.

1809 Das Bamberger Theater geht bankrott. Im Februar erscheint Hoffmanns Erzählung *Ritter Gluck* in der *Allgemeinen Musikalischen Zeitung*.

1810 Unter einer neuen Theaterleitung arbeitet Hoffmann als Komponist, Kulissenmaler, Bühnenbildner, Regisseur, Dramaturg und Direktionsgehilfe. Er entdeckt sein »Alter Ego«, die Musiker-Figur Johannes Kreisler.

1811 Er entwickelt eine leidenschaftliche Zuneigung zu seiner Gesangsschülerin Julie Marc (1796–1865), der Tochter des amerikanischen Konsuls für Franken.

1812 Julies Mutter leitet die Verlobung ihrer Tochter mit einem anderen Mann ein, Hoffmann fürchtet dem Wahnsinn zu verfallen und denkt an Doppelselbstmord. Unter der neuen Direktion des Bamberger Theaters verliert er seine Stellung.

1813 Niederschrift der *Nachricht von den neuesten Schicksalen des Hundes Berganza*. Im März erhält Hoffmann ein Angebot als Kapellmeister in Dresden und Leipzig. Außerdem schließt er mit dem Bamberger Weinhändler und Verleger Carl Friedrich Kunz (1785–1849) einen Vertrag über *Die Fantasiestücke in Callot's Manier* ab. In den folgenden Monaten arbeitet er als Kapellmeister und verfasst die Oper *Undine* nach einem Text von Friedrich de la Motte Fouqué (1777–1843). Nach der Niederlage Napoleons bei Leipzig am 26./27. August zieht Hoffmann mit seiner Operntruppe zurück nach Leipzig.

1814 Hoffmann beendet das Märchen *Der goldenen Topf*. Im März beginnt er mit der Niederschrift des Romans *Die Elixiere des Teufels*. Er lebt weiterhin in großer materieller Not. Im September bietet ihm Preußen erneut eine Stelle im Staatsdienst an, zunächst allerdings ohne Bezahlung. Er arbeitet zunächst im Kammergericht Berlin und wird dann in den Kriminalsenat des Kammergerichts versetzt.

1815 Er unterhält Kontakte zu Friedrich de la Motte Fouqué, Adelbert von Chamisso (1781–1838), Clemens Brentano (1778–1842), Joseph von Eichendorff (1788–1857), Ludwig Tieck (1773–1853) und anderen Romantikern. Mit dem Schauspieler Ludwig Devrient (1784–1832) verbindet ihn eine enge Freundschaft.

1816 Im April wird der vierte und letzte Band der *Fantasiestücke in Callot's Manier* publiziert. Hoffmann avanciert in der Berliner Gesellschaft zu einem gern gesehenen Gast und zu einem gefragten Autor für die Taschenbuch- und Almanacherzählungen, die er zur Sicherung seines Broterwerbs regelmäßig und in schneller Folge abliefert. Im April wird er zum Kammergerichtsrat (mit Gehalt) ernannt. Im August findet die Uraufführung seiner Oper *Undine* statt. Der erste Teil der Erzählsammlung *Nachtstücke* (mit u. a. *Der Sandmann, Die Jesuiterkirche in G., Das Sanctus*) erscheint.

1817 Der zweite Teil der *Nachtstücke* wird veröffentlicht (mit u. a. *Das öde Haus, Das Majorat*). Hoffmann hat jetzt als Kammergerichtsrat und geschätzter Autor ein gutes Auskommen. Sein Ruhm als Komponist verblasst indes wieder. Er zieht sich mehr und mehr aus den literarischen Zirkeln und Gesellschaften zurück.

1818 Es entsteht das satirische Märchen *Klein Zaches*. Hoffmann plant die große Erzählsammlung »Die Seraphinenbrüder«, später *Die Serapions-Brüder* genannt. Im Frühjahr erkrankt er schwer. Er beendet die Erzählung *Das Fräulein von Scuderi*. Am 14. November wird die Erzählrunde »Die Serapionsbrüder«, zu der neben Hoffmann u. a. Hitzig, Karl Wilhelm Salice-Contessa (1777–1825) und David Ferdinand Koreff (1783–1851) gehören, neu gegründet.

1819   *Das Fräulein von Scuderi* erscheint in dem Almanach *Taschenbuch für das Jahr 1820. Der Liebe und Freundschaft gewidmet.* Der erste Band der *Serapions-Brüder* wird publiziert. Im Mai beginnt Hoffmann mit der Arbeit an den *Lebensansichten des Kater Murr*. Am 1. Oktober wird er zum Mitglied der »Immediat-Untersuchungs-Kommission zur Ermittlung hochverräterischer Verbindungen und anderer gefährlicher Umtriebe« berufen. In den folgenden beiden Monaten verfasst er mehrere Gutachten, in denen er die Freilassung inhaftierter »Demagogen« verlangt, was zu heftigen Auseinandersetzungen mit der preußischen Regierung führt.

1820   Hoffmann fordert mehrfach die Freilassung von Johann Friedrich Ludwig »Turnvater« Jahn (1778–1852). Im September/Oktober erscheint der dritte Band der *Serapions-Brüder*.

1821   Im Oktober rückt Hoffmann in den Oberappellations-Senat des Kammergerichts auf. Die später von der Zensur beschlagnahmte Erzählung *Meister Floh* geht an die Verleger Wilmans in Frankfurt ab.

1822   Im Januar erkrankt Hoffmann schwer. Die Erzählung *Meister Floh* wird von der preußischen Regierung beschlagnahmt. Der Polizeipräsident Carl Christoph Albert Heinrich von Kamptz († 1849) sieht die Vorwürfe wegen Verhöhnung der Demagogenverfolgung und Verrat von Amtsgeheimnissen als erwiesen an. Hippel setzt sich für den Freund ein. Im Februar diktiert Hoffmann seine Verteidigungsschrift. Im April diktiert er *Des Vetters Eckfenster*. Am 25. Juni stirbt Hoffmann.

Entstehung

E. T. A. Hoffmann begann den *Sandmann*, die erste Erzählung seines zweibändigen Sammelwerks *Nachtstücke* (1816–1817), laut Handschrift am »16. Novbr. 1815, Nachts̀ 1 Uhr«. Diese Erstfassung, eine der wenigen erhaltenen Manuskripte Hoffmanns, war vermutlich in einem Zuge entstanden; sie enthält zahlreiche Korrekturen, unvollständige oder nicht leserliche Stellen. Nach nur acht Tagen, am 24.11.1815, schickte Hoffmann das Manuskript an den Verleger Georg Reimer (1776–1842). Der erste Band der *Nachtstücke*, in dem die Erzählungen *Ignaz Denner*, *Die Jesuiterkirche in G.* und *Das Sanctus* dem *Sandmann* folgen, erschien im September 1816. Er wurde auf das Jahr 1817 vordatiert. Hoffmann erhielt nach Reimers Hauptbuch am 29.9.1816 sechs Exemplare gratis. Die Druckfassung weist gegenüber der Handschrift nur geringe Änderungen auf; nur an zwei Stellen wurden größere Veränderungen vorgenommen (vgl. Erl. zu 17,3–4 und zu 48,24).

Über die Drucklegung des Buches ist nur wenig bekannt. Hoffmann führte bereits seit 1815 kein Tagebuch mehr, ein Briefwechsel zwischen ihm und Reimer unterblieb, da beide in Berlin lebten. *Der Sandmann* ist daher lediglich in dem einen Brief Hoffmanns an Reimer vom 24.11.1815 erwähnt, in dem er die Erzählung anbietet.

Quellen

Quellen im engeren Sinne hatte Hoffmann für den *Sandmann*
nicht. So sinnvoll eine eingehende Betrachtung etwa der Na-
mensgebung des Coppelius erscheint (vgl. Orlowsky 1988), so
wenig erweist sich eine rein positivistische Suche nach literarischen Vorlagen als fruchtbar (vgl. Stadler 1986). Angeführt werden von der Forschung Johann Wolfgang von Goethes (1749–
1832) »Dramatische Grille« *Der Triumph der Empfindsamkeit*
(1787), in der Prinz Oronaro eine Puppe liebt, und Jean Pauls
(1763–1825) satirische Frühschrift *Auswahl aus des Teufels Pa-
pieren* (1789), in der eine Holzpuppe als Ehefrau ausgegeben
wird. Eine Besprechung des *Sandmanns* in der *Allgemeinen Literatur-Zeitung* verweist überdies auf die Ähnlichkeit mit der
Laboratoriumsszene in Carl Wilhelm Salice-Contessas (1777–
1825) Erzählung *Todesengel*.

Ebenso ist auf eine Anekdote aus der Sammlung *Antihypochon-
driacus oder etwas zur Erschütterung des Zwergfells und zur
Beförderung der Verdauung* (1792) hinzuweisen, in der mit Hilfe einer weiblichen Figur deren Anbeter geprellt werden: Ein
Taschenspieler hatte sich dazu eine Eichenholzpuppe mit einem
Wachsgesicht anfertigen lassen, die sich mittels einer Maschi-
nerie bewegen konnte. Die gegen Geld zur Schau gestellte Puppe
gab er für lebend aus. Als ihre freigiebigen Verehrer zu einem
Besuch vorgelassen wurden, glaubten sie zunächst, ihr Idol
schliefe. Doch als bei einer Berührung ihre Wachshand barst,
entdeckten sie den Betrug. Feine Damen, so heißt es in der Anekdote weiter, waren fortan bemüht, sich von einer geschickt
gefertigten Puppe zu unterscheiden.

Das Automatenmotiv

Das Automatenmotiv war in der Literatur des 18. und des be-
ginnenden 19. Jahrhunderts weit verbreitet. Auch in Hoffmanns
Werk sind Automaten ein zentrales Motiv (vgl. Sauer 1983,
S. 74). Einem Tagebucheintrag vom 2.10.1803 zufolge hatte er
sich schon lange vor dem *Sandmann* mit Automaten befasst.

Nach der Lektüre von Johann Christian Wieglebs (1732–1800) *Die natürliche Magie, aus allerhand belustigenden und nützlichen Kunststücken bestehend* (1779) plante er sogar, selbst einen Automaten zu entwickeln.

J. de Vaucanson

Wiegleb erwähnt in seinem Werk u. a. einen Flötenspieler, den der Grenobler Mechaniker Jacques de Vaucanson (1709–1782) gebaut hatte. Der Automat in menschlicher Gestalt, ein Android, spielte Querflöte, beherrschte zwölf verschiedene Melodien und bewegte dabei Lippen, Finger und Zunge. Angetrieben wurde er von Uhrwerken, die Blasebälge in Gang setzten, um so die Luft in die Flöte zu bringen; eine Walze regelte deren Reihenfolge. 1738 stellte er der Pariser Akademie einen Hirten mit einer Pfeife vor, der 20 Melodien blasen konnte und zugleich den Takt auf einer Trommel schlug, sowie eine mechanische Ente, die sich wie ein lebendiges Tier bewegte, schnatterte, fraß, verdaute, ausschied. Eine Sensation.

Jacques de Vaucanson, dessen Automaten später in den Besitz von Gottfried Christoph Beireis (1730–1809) übergingen, gehörte zu den zahlreichen Uhrmachern und Mechanikern jener Zeit, die sich daran machten, immer ausgefeiltere Automaten herzustellen: So trat Joachim Eppinger mit einem die Rohrflöte blasenden Pan hervor, Joseph Gallmayr (1717–1790) mit einem Trio aus zwei Geigern und einem Violoncellisten. Die Schweizer Pierre (1721–1790) und Henri-Louis Jaquet-Droz (1752–1791) bauten einen Zeichner, der das Bild der französischen Königin Marie Antoinette (1755–1793) wiedergab, sowie einen Schreiber und eine mechanische Harmoniumspielerin. Den ersten sprechenden Automaten schuf Wolfgang Ritter von Kempelen (1734–1804). Berühmt aber wurde er mit dem 1769 entstandenen schachspielenden Türken, der nach seinem späteren Besitzer Johann Nepomuk Mälzel (1772–1838) benannt wurde.

Der schach-
spielende
Türke

Bei diesem Automaten handelte es sich um eine Puppe in türkischer Tracht und mit einer Wasserpfeife im Mund, die vor einem Brett saß, welches auf einem geräumigen Tisch aufruhte. Ein raffiniertes System von Spiegeln erweckte die Illusion, der Tisch sei von allen Seiten durchsichtig. In Wirklichkeit saß jedoch ein kleinwüchsiger Schachmeister darin und lenkte die Hand der Puppe mit Schnüren. Mälzels Schachspieler war ›getürkt‹. Für

Napoleon Bonaparte (1769–1821), der 1809 gegen ihn ange-
treten sein und verloren haben soll, baute Frizard von Biel eine
Vase, die auf Knopfdruck eine ganze Schäferidylle mit Musik
und Vogelgezwitscher freigab.

Einen 1812 von Johann Gottfried (1752–1818) und Friedrich
Kaufmann (1785–1866) gefertigten Trompeter und eine Maschine, die auf dem Fortepiano, der Flöte und dem Flageolet
mehrere Ouvertüren und Konzerte zu spielen vermochte, hat
Hoffmann in Dresden gesehen. Sein Tagebuch vermerkt unter
dem 10.10.1813: »Kaufmannsche Automate«.

Diese Maschinen wurden als dem Menschen durchaus verwandt
angesehen. Bereits René Descartes (1596–1650) verglich den   R. Descartes
Menschen mit einem durch Räder und Gewichte angetriebenen
Uhrwerk, das sich vom Automaten allein durch seine Seele un-
terscheide. Tiere fasste er als Maschinen ohne Seele auf. Der Arzt
Julien Offray de La Mettrie (1709–1751) dagegen ging weiter.
In *Der Mensch, eine Maschine* (1748) schrieb er, Menschen sei-
en im Grunde genommen nur senkrecht in die Höhe gereckte
Tiere und Maschinen, und die Seele sei nur ein empfindlicher,
materieller Teil des Gehirns. Die Kraft, die Triebfedern der Mechanik eine Zeitlang zu bewegen, werde aus dem Nahrungssaft
gewonnen, der aus der Verwandlung des Speisebreis entstehe.
Die erstaunliche und mit so viel Kunst und Geschicklichkeit ver-
fertigte Maschine Mensch sei damit kein von einer äußeren
Kraft in Gang gehaltener Mechanismus, sondern eine selbstbe-
wegte Maschine, ein Automat (Gendolla 1980, S. 15).

Die Mechanik erklärte dergestalt die Welt; aller Fortschritt erschien möglich. Die Begeisterung aber wich zusehends dem
Zweifel. Wurden die Maschinen anfangs noch dem Menschen
angeglichen, so zeigten die beherrschbaren, berechenbaren, bar
jeden Geheimnisses anmutenden Maschinen bald ein anderes
Gesicht. Der Takt der Musikautomaten wurde zum Arbeitstakt
der Manufakturen: 1745 erfand Jacques de Vaucanson einen
wasserradgetriebenen, mechanischen Webstuhl, auf dem Mus-
ter gewoben werden konnten. 1812 stürmten in England ver-
armte Strumpfmacher die Wirkstühle.

Hoffmann, Komponist und zeitweilig Kapellmeister, war von
Automaten fasziniert, doch zugleich auch abgestoßen. Das Frag-

ment *Die Automate*, das er am 5.1.1814 in Leipzig begann, zeugt davon. Hoffmann nahm *Die Automate* später in die vierbändige Erzählsammlung *Die Serapionsbrüder* (1819 ff.). In einem Auszug aus dem Gesamtmanuskript, der schon am 9.2.1814 in der *Allgemeinen Musikalischen Zeitung* abgedruckt worden war, lehnte Hoffmann v. a. in der Musik die bewunderte Mechanik ab, da allein der belebende Geist die Kunst verbürgen könne. Der Auszug wurde somit zu einer der frühesten Anklagen gegen die beginnende industrielle Allgegenwärtigkeit der Maschinen:

»Schon die Verbindung des Menschen mit toten das Menschliche in Bildung und Bewegung nachäffenden Figuren zu gleichem Tun und Treiben hat für mich etwas drückendes, unheimliches, ja entsetzliches. Ich kann mir es denken, daß es möglich sein müßte, Figuren vermöge eines im Innern verborgenen Getriebes gar künstlich und behende tanzen zu lassen, auch müßten diese mit Menschen gemeinschaftlich einen Tanz aufführen und sich in allerlei Touren wenden und drehen, so daß der lebendige Tänzer die tote hölzerne Tänzerin faßte und sich mit ihr schwenkte, würdest du den Anblick ohne inneres Grauen eine Minute lang ertragen? Aber vollends die Maschinenmusik ist für mich etwas heilloses und gräuliches, und eine gute Strumpfmaschine übertrifft nach meiner Meinung an wahrem Wert himmelweit die vollkommenste prächtigste Spieluhr.

Ist es denn nur allein der aus dem Munde strömende Hauch, der dem Blasinstrumente, sind es nur allein die gelenkigen geschmeidigen Finger, die dem Saiteninstrumente Tönen entlocken, welche uns mit mächtigem Zauber ergreifen, ja in uns die unbekannten unaussprechlichen Gefühle erregen, welche mit nichts Irdischem hienieden verwandt, die Ahndungen eines fernen Geisterreichs und unsers höhern Seins in demselben hervorrufen? Ist es nicht vielmehr das Gemüt, welches sich nur jener physischen Organe bedient, um das, was in seiner tiefsten Tiefe erklungen, ins rege Leben zu bringen, daß es andern vernehmbar ertönt und die gleichen Anklänge im Innern erweckt, welche dann im harmonischen Wiederhall dem Geiste das wundervolle Reich erschließen, aus dem jene

Töne wie entzündende Strahlen hervordrangen? – Durch Ventile, Springfedern, Hebel, Walzen und was noch alles zu dem mechanischen Apparat gehören mag, musikalisch wirken zu wollen, ist der unsinnige Versuch, die Mittel allein dasjenige vollbringen zu lassen, was sie nur durch die innere Kraft des Gemüts belebt und von derselben in ihrer geringsten Bewegung geregelt ausführen können. Der größte Vorwurf, den man dem Musiker macht, ist, daß er ohne Ausdruck spiele, da er dadurch eben dem eigentlichen Wesen der Musik schadet, oder vielmehr in der Musik die Musik vernichtet, und doch wird der geist- und empfindungsloseste Spieler noch immer mehr leisten als die vollkommenste Maschine, da es nicht denkbar ist, daß nicht irgend einmal eine augenblickliche Anregung aus dem Innern auf sein Spiel wirken sollte, welches natürlicherweise bei der Maschine nie der Fall sein kann.

Das Streben der Mechaniker, immer mehr und mehr die menschlichen Organe zum Hervorbringen musikalischer Töne nach⟨zu⟩ahmen, oder durch mechanische Mittel zu ersetzen, ist mir der erklärte Krieg gegen das geistige Prinzip, dessen Macht nur noch glänzender siegt, je mehr scheinbare Kräfte ihm entgegengesetzt werden; eben darum ist mir gerade die nach mechanischen Begriffen vollkommenste Maschine der Art eben die verächtlichste, und eine einfache Drehorgel, die im Mechanischen nur das Mechanische bezweckt, immer noch lieber als der Vaucansonsche Flötenspieler und die Harmonikaspielerin.« (*Sämtliche Werke*, Bd. 4, S. 418 ff.)

Alle solche Figuren, so Hoffmann, seien »wahre Standbilder eines lebendigen Todes oder eines toten Lebens«. Besonders die stieren, gläsernen Blicke, welche er als ein Sinnbild des Unheimlichen deutet, seien ihm im höchsten Grade zuwider.

Wahnsinn

Weitere wesentliche Anregungen empfing Hoffmann aus der medizinisch-psychologischen Literatur der Zeit und aus der um 1800 weit verbreiteten Diskussion des Irrsinns. Johann Christi-

Medizinisch-psychologische Vorlagen

an Reils (1759–1813) *Ueber die Erkenntniss und Cur der Fieber* (1802) sowie seine *Rhapsodieen über die Anwendung der psychischen Curmethode auf Geisteszerrüttungen* (1803), Gotthilf Heinrich Schuberts (1780–1860) *Ansichten von der Nachtseite der Naturwissenschaft* (1808) und *Die Symbolik des Traumes* (1814) sowie Philippe Pinels (1745–1826) *Philosophisch-medicinische Abhandlung über Geistesverwirrungen oder Manie* (1801) waren Hoffmann bestens bekannt.

In der zweiten Hälfte des 18. Jahrhunderts hatte sich die Sicht des Wahnsinns erheblich verändert. Theorie und Praxis ihrer Behandlung erfuhren einen erheblichen Wandel, denn Wahnsinnige wurden nunmehr als – potentiell heilbare – Kranke betrachtet und nicht mehr gemeinsam mit Verbrechern inhaftiert. Der Ph. Pinel Franzose Philippe Pinel, der Wahnsinn und Vernunft nicht als Gegensatz sah, sondern vielmehr von fließenden Übergängen zwischen beiden Bewusstseinsstadien überzeugt war, erlangte Berühmtheit, nachdem er 1794 in der von ihm geleiteten Anstalt von Bîcetre Wahnsinnige nicht mehr wie Kriminelle behandelte und sie von ihren Ketten befreite. Sein humanes Verständnis der Geisteskrankheiten machte die Empirie, die eigenen Beobachtungen, zur Grundlage der Therapie. Der blanken Verwahrung der psychisch Kranken wurden Behandlungsversuche beigesellt: Zwangsjacken, Schocktherapie, Blutaustausch und Ekelkuren sollten eine Heilung herbeiführen. Gängigen Theorien nach war Wahnsinn eine Krankheit des Gehirns oder der Nerven, deren Symptome lediglich auf biologische Störungen zurückzuführen seien. Erst eine Anhäufung einzelner Symptome, ein Übermaß an innerer Erregung, könne zum Wahnsinn führen. Vorläufer der Psychoanalyse hingegen sahen Wahnsinn als emotionales Problem, das sich aus der Lebensgeschichte des Patienten erklären kann.

J. Ch. Reil Johann Christian Reil, dessen Erkenntnisse Hoffmann für seine Schilderungen des Wahnsinns intensiv nutzte (vgl. Hohoff 1988, S. 307 f.), mischte in seinen *Rhapsodieen* beide Sichtweisen, indem er die Ansicht vertrat, Heilung der Seelenkrankheiten könne nur erreichen, wer zugleich Arzt der Seele und des Körpers sei. Eine Spielart der Geisteszerrüttung ist bei ihm der fixe Wahnsinn:

»Der fixe Wahnsinn besteht in einer partiellen Verkehrtheit des Vorstellungsvermögens, die sich auf einen oder auf eine Reihe homogener Gegenstände bezieht, von deren Daseyn der Kranke nicht zu überzeugen ist, und die daher die Freiheit seines Begehrungsvermögens beschränkt, und dasselbe gezwungen, seiner fixen Idee gemäß, bestimmt. Beide Merkmale, fixe Ideen und subjektive Ueberzeugung, daß der Wahn Wirklichkeit sey, gehören wesentlich zur Charakterisierung dieser Krankheit.« (Reil, *Rhapsodieen*, S. 307 f.)

Die Krankheit verlaufe dabei etappenweise bis zum völligen Realitätsverlust, wobei sich die Frequenz der wahnsinnigen Zustände steigere.

Die wissenschaftliche Beschäftigung mit dem Wahnsinn führte um die Wende des 19. Jahrhunderts dazu, dass Irrsinn nicht mehr als ein übernatürliches Verhängnis empfunden wurde, sondern als eine ganz reale Bedrohung eines jeden. Reil: »Der Mensch hat eine natürliche Anlage zu dieser Krankheit, weil er schwerlich auch im gesunden Zustande ganz frei von fixen Ideen ist, die vor dem Richterstuhle der unbedingten Vernunft nicht passiren« (ebd., S. 320). Da der Wahnsinn nun als Krankheit angesehen wurde, wuchs die Angst, selbst betroffen zu werden. Wahnsinn wurde zum Stempel, mit dem das Bürgertum von ihm abweichendes Verhalten belegte. Insbesondere Künstler, die sich häufig selbst als Außenseiter betrachteten, waren vom Wahnsinn fasziniert. Er avancierte regelrecht zum bürgerlichen und literarischen Modethema der Zeit (vgl. Obermeit 1980, Reuchlein 1986).

Hoffmann beschäftigte sich mit Krankheit und Wahnsinn v. a. in seinen Bamberger Jahren. Adalbert Friedrich Marcus (1753–1816), einer der führenden Mediziner seiner Zeit und Leiter sowohl des 1789 gegründeten Bamberger Allgemeinen Krankenhauses als auch des dortigen Sanatoriums St. Getreu, gewährte ihm Einblick in die Behandlung von Geisteskrankheiten, zu der u. a. hypnoseähnliche Methoden zählten (vgl. Segebrecht 1978). Nachweislich hat Hoffmann St. Getreu mehrfach aufgesucht, um sich ein Bild von den Zuständen der psychisch Kranken zu machen. In Bamberg hatte er auch an einer Obduktion teilgenommen. Seine Beobachtungen und Erkenntnisse hat Hoff-

Hoffmanns Beschäftigung mit dem Wahnsinn

mann, der nicht selten befürchtete, selbst am Rand des Wahnsinns zu stehen, in seinem Werk verarbeitet: »Man möchte glauben, daß man es mit einem sehr tiefen Psychiater zu tun habe, dem es Spaß macht, seine unheimliche Wissenschaft mit dichterischen Formen zu umkleiden, gleich als wenn ein Gelehrter in Fabeln und Gleichnissen reden wollte« (Auhuber 1986, S. V).

Begriff und Bedeutung der Nachtstücke

Das Wort »Nachtstück« wird zumeist für die bildliche, dichterische oder musikalische Darstellung einer nächtlichen Szene benutzt. Der Begriff »Stück« kann sowohl Ausschnitt als auch Gemälde bedeuten, wobei Gemälde im Sinne eines Wortgemäldes nach dem Sprachforscher Friedrich Adelung (1768–1843) wiederum eine packende Schilderung sein kann (Hohoff 1988, S. 233). Dem »Nachtstück« in der Malerei entspricht daher die »Nachtgeschichte« in der Literatur sowie die »Nachtmusik«. In der Wissenschaft, vorrangig in der Psychologie, konnte »Nachtstück« für die abgründige, irrsinnige, dunkle Seite des Menschen stehen, mit der sich Gotthilf Heinrich Schuberts *Ansichten von der Nachtseite der Naturwissenschaften* (1808) beschäftigte.

»Nachtstück«
in der Malerei

Vorrangig jedoch wurde der Begriff »Nachtstück« in der Malerei gebraucht. Er geht auf den italienischen Baumeister, Maler und Schriftsteller Giorgio Vasari (1511–1574) zurück, der in seinen Künstlerbiographien (1550) Gemälde des 15. Jahrhunderts mit nächtlichen Szenen als »quadro di notte« oder »pittura di notte« bezeichnete, und zwar zur Charakterisierung von Gemälden mit Nachtszenen in starken Hell-Dunkel-Kontrasten bei Mond- oder Kunstlicht, wodurch Gewohntes ein fremdes, befremdliches Aussehen erhält. Die bekanntesten Maler diesen Genres waren Luca Cambiaso (1527–1585), Georges de la Tour (1592–1652), Caravaggio (1573–1610), Peter Paul Rubens (1577–1640), Pieter Brueghel der Jüngere , der Höllenbreughel (1564–≈1638), Rembrandt (1606–1669) und Gerard van Honthorst (1590–1656), der den Beinamen »Gherardo delle Notti« trug. Die schaurigen Gemälde Salvator Rosas (1615–1673) werden von Hoffmann eigens in *Die Jesuiterkirche in G.* und in seiner Novelle *Signor Formica* (1819) benannt (vgl. *Sämtliche Werke*, Bd. 4, S. 923 f.).

1691 benutzte der Schriftsteller Kaspar Stieler (1632–1707) erstmals den Terminus in *Der Teutschen Sprache Stammbaum und Fortwuchs*. »Nachtstück« wurde seitdem zum bevorzugten Untertitel für zahlreiche Erzählungen und Romane. Nachdem u. a. bereits 1767 die Sammlung *Moralische Nacht-Stücke* anonym bei Christian Friedrich Cotta (1764–1832) erschienen war, folgten ebenso anonym 1795 *Nachtstücke*, die Franz Ludwig Schwarz (1770–1846) bzw. Ludwig Zehnmark (1751–1814) zugeschrieben wurden. 1812 nannte Gustav Schilling (1766–1839) seine Erzählung *Die Saite* ein *Nachtstück*, desgleichen – im Entstehungsjahr von *Der Sandmann* – Hoffmanns Freund Carl Wilhelm Salice-Contessa (1767–1825) seine Erzählung *Der schwarze See*. Populärer wurde der Begriff indes v. a. durch Jean Paul, der sich seiner oftmals bediente (vgl. Leopoldseder 1973). »Nachtstück« in der Literatur

Hoffmann griff also mit dem Titel seiner Erzählsammlung auf eine allgemein kursierende Bezeichnung zu, wobei deren Bedeutungsgehalt zu jener Zeit noch nicht allzu deutlich festgelegt war. Zumeist war damit eine Erzählform gemeint, die sich in nächtlicher Szene teils mit Spuk- und Geistererscheinungen, teils mit seltsamen seelischen Erscheinungen und psychischen Erkrankungen, also den abnormen »Nachtseiten« der Natur und des Menschen befasst, Phantastisches und Realistisches mischt und vielfach ins Groteske mündet (vgl. Leopoldseder 1973). Erst durch Hoffmanns Verwendung des Begriffes setzte sich »Nachtstück« endgültig als literarische Gattungsbezeichnung durch. Im ersten Teil seiner *Nachtstücke – Der Sandmann*, *Ignaz Denner*, *Die Jesuiterkirche in G.*, *Das Sanctus* – erreicht der »Gespenster-Hoffmann«, wie er damals genannt wurde, eine schaurige Wirkung der Erzählungen, weil er über die Versatzstücke der damals beliebten Schauer-, Räuber- und Gespenstergeschichten hinausgeht und das Unheimliche als zerstörerische Kraft schildert, die eben gerade nicht erklärt werden kann: »Geheimnisse werden zwar enthüllt, aber selten vollständig, und meistens ergeben sich aus der Lösung sogleich neue Rätsel. Zudem bleibt offen, ob dämonische Mächte für die Verhängnisse und Verbrechen verantwortlich sind oder ob Menschen in teuflischer Weise die Fäden ziehen« (*Sämtliche Werke*, Bd. 3, S. 956). Die Frage, ob Hoffmanns Verwendung des Begriffs

Coppelius Coppola oder ob Nathanael wahnsinnig ist, muss mithin offen bleiben. »Dadurch, daß diese ›nächtlichen‹ Kräfte dem Verstand nicht zugänglich sind, kann sich der Mensch mit ihnen auch nur unzulänglich auseinandersetzen, das Bedrohliche umgibt ihn von allen Seiten. Ja mehr noch: Es ist und bleibt offen, ob diese verderblichen Kräfte in Wirklichkeit existieren oder nur in der Vorstellung des Betroffenen« (ebd.). Obwohl Hoffmann im *Sandmann* vieles wissenschaftlich, psychologisch oder medizinisch ansatzweise erläutert, bleibt ein gut Teil ungeklärt. Die Unsicherheit, ob man das Geschehen verstanden hat oder nicht, begleitet nicht nur die Figuren der Erzählung, sondern ebenso den Leser, der nicht zu unterscheiden vermag, ob denn nun Nathanael von sich aus wahnsinnig wird oder ob Coppelius ihn erst in den Wahnsinn treibt. »Hoffmann maßt sich nicht an, die Grenzlinie zwischen Gesundheit und Krankheit, Normalität und Wahnsinn zu ziehen, weil er an keine klare Grenzlinie glaubt. Seine Erzählweise überläßt dem Leser die Aufgabe, selbst über diese Fragen nachzudenken« (ebd., S. 958).

Wirkungsgeschichte

Im Gegensatz zu den *Fantasiestücken in Callot's Manier* (1814 ff.), die Hoffmann berühmt gemacht hatten, stießen die *Nachtstücke* auf eine mäßige Resonanz. Nur eine der großen Literaturzeitungen, die *Allgemeine Literatur-Zeitung* (Juli 1817), besprach den ersten Band, wenn auch wenig wohlwollend. Immerhin wird eingeräumt, dass »joviale Ironie die schauerlichen Skizzen« erheitere. Der zweite Band wurde bereits nicht mehr rezensiert. Mäßige Resonanz

Ebenso selten und abweisend sind Anmerkungen in Aufzeichnungen oder in Briefen wie dem des Dramatikers und Kritikers Johann Friedrich Schink (1755–1835) vom 19.6.1817; erbost vermerkt Schink, der »Teufel, der überall darin sein Spiel treibt« sei »in diesen Verfasser gefahren«. Die *Nachtstücke* hält er für »abentheuerlich und sinnlos«; Fantasie und Talent seien darin vergeudet. Heinrich Voß (1779–1822) schrieb im März 1821 an Christian Truchseß von Wetzhausen (1755–1826), einerseits sei *Der Sandmann* eine der geistreichsten Erzählungen, wenn dieser sich nicht wiederum in Schauer und Entsetzen umtriebe, andererseits sei es wohl nicht möglich, einen sinnreicheren Gebrauch von der Idee des Sandmanns zu machen. Der Schriftsteller Willibald Alexis (1798–1871) wünschte sich ebenfalls »einige der höchst originellen Ideen« in einer »minder gräslichen und widerlichen Dichtung«. Vergleichbar urteilten Heinrich Heine (1797–1856), der in den *Nachtstücken* das »Gräßlichste und Grausenvollste« überboten sah, und der Literaturwissenschaftler Konrad Schwenck (1793–1864), der in *Hermes oder kritisches Jahrbuch der Literatur* (1823) anmerkt, die Darstellung sei so »ungeschickt und trotz aller groben Pinselstriche so matt«, dass »kein Interesse, kein Leben sichtbar« sei. Und der schwedische Dichter Per Daniel Amadeus Atterbom (1790–1855) warf Hoffmann in einem Brief an Erik Gustaf Geijer (1783–1847) im Juli 1817 vor, er gehe »einförmig darauf aus, die Nerven mit den ausgesuchtesten Greueln zu erschüttern«. H. Voß

W. Alexis

H. Heine

Zu einer der wenigen wohlwollenden Besprechung der *Nachtstücke* rang sich dagegen das im Gegensatz zur *Allgemeinen*

Literatur-Zeitung weniger bekannte *Oppositions-Blatt* (7.6.1817) durch; dort heißt es: »Das Scheinleben des Automats mit den starren Augen übt eine Gewalt auf den Leser, wie kaum die furchtbarste Geistererscheinung.«

Als entscheidend für die deutsche Rezeption Hoffmanns sollte sich indes Johann Wolfgang von Goethes Übertragung eines umfangreichen Artikels des schottischen Romanciers Walter Scott (1771–1832), »On the Supernatural in Fictitious Composition; and Particulary on the Works of Ernest Theodore William Hoffman« (1827) erweisen. Goethe entnahm dem umfangreichen und abwägenden Beitrag Scotts, der sich ausführlich mit dem *Sandmann* beschäftigt, allein dessen nachteiliges Ende, das er übersetzend weiter verschärfte:

> »Es ist unmöglich Mährchen dieser Art irgendeiner Kritik zu unterwerfen; es sind nicht die Gesichte eines poetischen Geistes, sie haben kaum so viel scheinbaren Gehalt, als den Verrücktheiten eines Mondsüchtigen allenfalls zugestanden würde; es sind fieberhafte Träume eines leichtbeweglichen kranken Gehirns, denen wir, wenn sie uns gleich durch ihr Wunderliches manchmal aufregen oder durch ihr Seltsames überraschen, niemals mehr als eine augenblickliche Aufmerksamkeit widmen können. Fürwahr, die Begeisterungen Hoffmanns gleichen oft den Einbildungen, die ein unmäßiger Gebrauch des Opiums hervorbringt und welche mehr den Beistand des Arztes als des Kritikers fordern möchten.«

Goethes Auszug las sich als vernichtender Bann; selbst als Hoffmanns Werke Jahrzehnte später in Deutschland eine Renaissance erlebten, blieben die *Nachtstücke* weitgehend unbeachtet. Eine Ausnahme bildete nur *Der Sandmann*; er gehört zu den wenigen Erzählungen der Romantik, die eine nachhaltige Wirkung entfalten konnten.

Anders als in der deutschen Rezeption prägte gerade Walter Scotts Aufsatz das Bild Hoffmanns in England, in Russland, v. a. aber in Frankreich auf vorteilhafte Weise. Ausschnitte daraus leiteten die ersten Gesamtausgaben in Frankreich und Russland ein. Hoffmanns Schriften wirkten so auf zahlreiche Schriftsteller wie Alexander Puschkin (1799–1837), Nikolai Gogol (1809–1852), Fjodor Dostojewski (1821–1881), Honoré de Balzac

Goethes Übertragung von W. Scotts Artikel

Hoffmanns Rezeption im Ausland

(1799–1850), Charles Baudelaire (1821–1867), Guy de Maupassant (1850–1893), Edgar Allan Poe (1809–1849) oder Oscar Wilde (1854–1900).

Insbesondere in Frankreich wurde *Der Sandmann* häufig übersetzt und illustriert. Die Erzählung wurde sowohl zur Vorlage des 1870 in der Pariser Oper uraufgeführten Balletts *Coppélia ou La filles aux yeux d'émail* von Clément Philibert Léo Delibes (1836–1891) als auch zu der des Theaterstücks (1851) von Jules Barbier (1825–1901) und Michel Carré (1819–1872), das wiederum als Grundlage der 1881 uraufgeführten komischen Oper *Les contes d'Hoffmann* von Jacques Offenbach (1819–1880) diente. In *Hoffmanns Erzählungen* wird Hoffmann sogar mit Nathanael gleichgesetzt. Die Handlung, die sich in ihrem ersten Aufzug an *Der Sandmann* anlehnt, ist jedoch auf Nathanael und Olimpia beschränkt. 1896 wurde die Operette *La Poupée* von Edmond Audran (1840/42–1901) in Paris uraufgeführt. Ebenso in Frankreich wurde das Motiv der lebenden Puppe aus *Der Sandmann* von Georges Méliès (1861–1938) in seinem Stummfilm *Coppélia ou la Poupée animée* (1900) verarbeitet, um acht Jahre später nochmals von ihm in *La poupée vivante* aufgegriffen zu werden. Das Motiv des belebten Automaten wurde im deutschen Film 1924 in *Das Wachsfigurenkabinett* in der Regie von Paul Leni (1885–1929) verwendet. Bereits 1914 legte Peter Paul das Filmbuch *Der Sandmann* als Filmdrama in vier Abteilungen vor. Mit der spanisch-amerikanischen Produktion *El fantastico mundo del Dr. Coppelius* (1966) und mit Eckhart Schmidts (* 1938) Filmversion *Der Sandmann* (1993) kehrte die Erzählung in die Kinos zurück.

Umsetzung der Erzählung in andere Medien

Aspekte der Deutung

Der Sandmann entzieht sich der eindeutigen Sicht. Ob Clara etwa ein zartes Gemüt besitzt (vgl. Schmidt 1988) oder, ganz philiströse Bürgerstochter, einzig nach gesegnetem Hausstand strebt (vgl. Hayes 1972), ob sie mit einem »gar hellen scharf sichtenden Verstand« oder mit der »Fantasie des heitern unbefangenen, kindischen Kindes« begabt ist, ob sie als ironisch gewitzt oder als »kalt, gefühllos, prosaisch« zu gelten hat; ob Coppelius Coppola oder gar der Sandmann ist; ob Nathanael toll geworden war oder ob er tatsächlich verfolgt wurde, ob er irrsinnig oder hellsichtig ist – all dies kann nicht mit letztgültiger Sicherheit bestimmt werden. Clara nimmt an, alles »Entsetzliche und Schreckliche« finde allein in Nathanaels Innern statt. Er dagegen glaubt, »dunklen Mächten zum grausamen Spiel« zu dienen. Beides ist möglich. Realität und Einbildung lassen sich nicht trennen. Nicht einmal der Erzähler erweist sich als allwissend; auch er gibt zumeist bloß Meinungen oder Sichtweisen wieder (vgl. Elling 1972). *Der Sandmann* kann daher auf verschiedenste Weise gelesen werden: als Eingriff irrationalen Spuks in den Alltag, als Beschreibung eines Genie in Wahnsinn verkehrenden Künstlerlebens oder als rational erklärbarer, psychischer Krankheitsverlauf, bei dem Realitätsverlust und Aggression in Selbstzerstörung münden.

Die einfache, nahezu durchgängige Handlungschronologie strukturiert dabei den *Sandmann* gleichsam musikalisch:

Lesarten der Erzählung

Musikalische Struktur

»Die eigentliche Dynamik des *Sandmanns* rührt zweifellos von den ständig wechselnden Perspektiven und dem Tempo mit der die Handlung vorangetrieben wird. Eine zusätzliche Dynamik und ihre geradezu dramatische Musikalität erhält die Erzählung dadurch, daß sie wie eine späte Sonate Beethovens komponiert ist« (Auhuber 1998, S. 104).

Der 1. Satz, die drei Briefe, schlägt das Hauptthema an; alle Nebenthemen, die sich in verschiedenen Variationen und Tempi wiederholen, werden angedeutet. Der 2. Satz bringt die Durchführung des Themas und reicht von Nathanaels Heimkehr bis zur Entlarvung Olimpias als Automat. Der 3. Satz strebt langsam, dann presto, schließlich prestissimo dem Finale entgegen. Das verhallende Nachspiel: Claras angebliches Idyll. Der beständige Wechsel der offenen Erzählperspektive erzeugt dabei zugleich jene Unsicherheit, die Hoffmanns Überarbeitung des Manuskripts noch verstärkt.

Offene Erzähl-perspektive

»Ein Charakteristikum von Hoffmanns Erzählungen ist die Verschränkung von Zeitebenen und Raumordnungen, die die Identifikation der Figuren rollenspielartig auflöst. Seine Erzählstrategie ist es, Disparates und Widersprechendes zusammenzuführen und einen imaginären Raum zu öffnen, der eindeutige Bedeutungen nicht mehr zuläßt« (Kremer 1987, S.69).

Hoffmanns Erzählgewebe bietet Möglichkeiten an, keine Lösungen.

Die daher weitverzweigte literaturwissenschaftliche Diskussion begann – nach ersten positivistischen Versuchen, Quellen und Vorbilder für *Der Sandmann* zu finden (vgl. von Maassen 1912) – im Jahr 1919 mit Sigmund Freuds Aufsatz *Das Unheimliche*. Für ihn war es offensichtlich, dass Coppelius, Coppola und der Sandmann identisch sind. Das Unheimliche wird nicht durch das Rätsel um den Sandmann erzeugt, so Freud, sondern durch das Motiv des Augenverlusts. Die schreckliche Kinderangst, die Augen könnten verletzt werden oder gar das Augenlicht zu verlieren, sei vielen Erwachsenen verblieben, und sie fürchten keine andere Organverletzung so sehr wie die des Auges. Den Verlust der Augen setzt Freud mit Kastration gleich:

S. Freuds Aufsatz *Das Unheimliche*

»Warum tritt der Sandmann jedesmal als Störer der Liebe auf? Er entzweit den unglücklichen Studenten mit seiner Braut und ihrem Bruder, der sein bester Freund ist, er vernichtet sein zweites Liebesobjekt, die schöne Puppe Olimpia, und zwingt ihn selbst zum Selbstmord, wie er unmittelbar vor der beglückenden Vereinigung mit seiner wiedergewonnenen Clara steht. Diese sowie viele andere Züge der Erzählung erscheinen willkürlich und bedeutungslos, wenn man die Beziehung der Augenangst zur Kastration ablehnt, und werden sinnreich, sowie man für den Sandmann den gefürchteten Vater einsetzt, von dem man die Kastration erwartet« (Freud 1970, S. 255).

In der Anmerkung dazu schreibt er weiter:

»In der Kindergeschichte stellen der Vater und Coppelius die durch Ambivalenz in zwei Gegensätze zerlegte Vater-Imago dar; der eine droht mit der Blendung (Kastration), der andere, der gute Vater, bittet die Augen des Kindes frei. Das von der Verdrängung am stärksten betroffene Stück des Komplexes, der Todeswunsch gegen den bösen Vater, findet seine Darstellung in dem Tod des guten Vaters, der dem Coppelius zur Last gelegt wird. Diesem Väterpaar entsprechen in der späteren Lebensgeschichte des Studenten der Professor Spalanzani und der Optiker Coppola, der Professor an sich eine Figur der Vaterreihe, Coppola als identisch mit dem Advokaten Coppelius erkannt. Wie sie damals zusammen am geheimnisvollen Herd arbeiteten, so haben sie nun gemeinsam die Puppe Olimpia verfertigt; der Professor heißt auch der Vater Olimpias. Durch diese zweimalige Gemeinsamkeit verraten sie sich als Spaltungen der Vater-Imago, also dem unterbewussten, handlungsbestimmenden Bild einer anderen Person; d. h., sowohl der Mechaniker als auch der Optiker sind der Vater der Olimpia wie des Nathaniel. In der Schreckensszene der Kinderzeit hatte Coppelius, nachdem er auf die Blendung des Kleinen verzichtet, ihm probeweise Arme und Beine abgeschraubt, also wie ein Mechaniker an einer Puppe an ihm gearbeitet. Dieser sonderbare Zug, der ganz aus dem Rahmen der Sandmannvorstellung heraustritt, bringt ein neues Äquivalent der Kastration ins Spiel; er weist aber auch auf innere Identität des Coppelius mit seinem späteren Widerpart, dem Mechaniker Spalanzani, hin und bereitet uns für die Deutung der Olimpia vor. Diese automatische Puppe kann nichts anderes sein als die Materialisation von Nathaniels femininer Einstellung zu seinem Vater in früher Kindheit. Ihre Väter – Spalanzani und Coppola – sind ja nur neue Auflagen, Reinkarnationen von Nathaniels Väterpaar; die sonst unverständliche Angabe des Spalanzani, daß der Optiker dem Nathaniel die Augen gestohlen (s. oben [S. 253]), um sie der Puppe einzusetzen, gewinnt so als Beweis für die Identität von Olimpia und Nathaniel ihre Bedeutung. Olimpia ist sozusagen ein von Nathaniel losgelöster Komplex, der ihm als Person entgegentritt; die Beherrschung durch diesen Komplex findet in der unsinnig zwanghaften Liebe zur Olimpia ihren Ausdruck. Wir haben das Recht, diese Liebe eine narzisstische zu heißen, und verstehen, daß der ihr Verfallene sich dem realen Liebesobjekt entfremdet. Wie psychologisch richtig es aber ist, daß der durch den Kastrationskomplex an den Vater fixierte Jüngling der Liebe zum Weibe unfähig wird, zeigen zahlreiche Krankenanalysen, deren Inhalt zwar weniger phantastisch, aber kaum minder traurig ist als die Geschichte des Studenten Nathaniel« (ebd., S. 254 ff.).

E. T. A. Hoffmann, endet Freud seine Ausführungen zu *Der Sandmann,* war das Kind einer unglücklichen Ehe. Als er drei Jahre alt war, trennte sich der Vater von der Familie. Die Beziehung zum Vater sei immer eine der wundesten Stellen in des Dichters Gefühlsleben gewesen.

Im Anschluss an den psychoanalytischen Ansatz Freuds wurde einer Sichtweise nach Carl Gustav Jungs (1875–1961) Tiefenpsychologie und Archetypenlehre der Vorzug gegeben. Mit beiden psychologischen Schulen wurden sowohl die wesentlichen Leitmotive der Erzählung – Auge, Automat, Perspektiv – als auch die traumatischen Erlebnisse Nathanaels erfasst. Literaturgeschichtliche Aspekte, Erzählweise und fiktionale Struktur des Textes waren dabei allerdings vernachlässigt worden.

Leitmotive der Erzählung

Jürgen Walter (1984) etwa sah das Unheimliche der Erzählung gerade durch ihre literarische Darstellung und ihre narrative Struktur erzeugt, die Freud völlig außer Acht gelassen habe:

Narrative Struktur

»Die Geschichte vom *Sandmann,* so kann man zusammenfassen, ist von Hoffmann so angelegt und erzählt worden, daß sie gleichsam zweimal aufgeht – und im Ganzen doch nicht: als rationalisierbares Geschehen etwa einer psychischen Erkrankung oder abnorm auswuchernden Einbildung – eine Deutung, die in der Erzählung selbst durch Clara vertreten wird und von der erleidenden Hauptfigur zwar als ›fatal verständig‹ zurückgewiesen, aber durch die Ereignisse niemals widerlegt wird – oder als Eingreifen äußerer, unfaßbarer, irrationaler Mächte in die Alltagswelt eines dafür sensiblen Studenten – so begreift und deutet Nathanael sein

Schicksal selbst, was ebenfalls durch die Ereignisse selbst nirgends eindeutig widerlegbar ist. Zwei Rezeptionsvorgaben sind hier vom Autor mit bewußt eingesetzten erzähltechnischen Mitteln berechnend über- und ineinandergeschrieben. Liest man die Geschichte auf die erste Weise, ist sie einordbar in bürgerlich alltägliche Rationalität, die das ihr Fremde als das Anormale begreift. Liest man sie auf die zweite Weise, ergibt sich eine phantastische, auch unterhaltende Spukgeschichte, deren Konsum von Alltagszwängen und –normen entspannen kann, ohne sie ernsthaft in Frage zu stellen. In beiden Fällen könnte sich der Leser in seiner gedeuteten Welt beruhigen. Daß er es aber schließlich doch nicht tut und als aufmerksamer Leser auch nicht tun kann, liegt daran, daß beide Rezeptionsvorgaben ebenso möglich sind, wie sie einander ausschließen. Die vorgegebenen Deutungsmöglichkeiten streiten sich gleichsam im Leser weiter – und genau das ist es, wodurch die Geschichte unheimlich wirkt« (Walter 1984, S. 27).

Doch ob *Der Sandmann* nun rezeptionsästhetisch oder positivistisch (Kohnen 1993), texttheoretisch (Lehmann 1979), linguostilistisch (Perlyna 1996) oder feministisch (Ricarda Schmidt 1988) betrachtet wird, die Kernfrage, ob in Nathanaels Leben unheilvoll eingegriffen wird, ob Coppelius Coppola ist, kann und soll letztlich nicht beantwortet werden.

Die Figur des Coppelius

Allenfalls ließe sich vermuten, Coppelius könnte Coppola sein, denn der Advokat trägt dazu bei, die behagliche Geborgenheit der Familie zu zerstören (vgl. Koebner 1988), drängt sich zwischen die Eltern, ist am Tod des Vaters beteiligt und bei Nathanaels Tod anwesend. Gesetzt er wäre Coppola, so bringt er ihn von Clara ab. Er baut an dem verhängnisvollen Automaten mit. Die Ursache des abermals in einem Laboratorium ausbrechenden Brandes, der Nathanael in Coppolas Nähe führt, bleibt zwar ungeklärt, kann aber in ihm vermutet werden.

Ebenso nahe liegt jedoch die Annahme, Nathanael verfalle zunehmend dem Wahnsinn und Coppelius sei nicht Coppola. Den ohnehin störenden Alten setzt Nathanael mit einem gestaltlosen Sandmann gleich (vgl. Lehmann 1979), dessen Geschichte ihm eine tiefgreifende Erschütterung zufügte. In seiner Einbildung ist

Coppelius der verruchte Satan, der zum letzten Mal zum Vater kam, seinen Teil eines Teufelspaktes einzufordern: »Coppelius fungiert in der Vision als Interessenvertreter einer Macht, deren eigentliches Element die Zerstörung ist; die dem Chaos nicht Schöpfungen entbinden, sondern das Geschaffene annihilieren will« (Hartung 1973, S. 58). Beelzebub braucht seit alters her Seelen, den göttlichen Teil des Menschen, um seine Welt zu vervollkommnen. Für Nathanael ist Coppelius das Böse schlechthin. Jedwedes Geschehen, an dem dieser beteiligt ist, verbindet er zu dem ihm schlüssigen, doch zwanghaften Wahn, er wolle ihn vernichten. Als der Wetterglashändler Coppola auftritt, der Nathanael nicht nur dem Namen nach an Coppelius erinnert, brechen die lang verdrängten traumatischen Kindheitserlebnisse auf. Wahn und Wirklichkeit gehen nun endgültig ineinander über. Am Beginn glaubt Clara, ihr Lachen könne Nathanaels Alb vertreiben, am Ende lacht Coppelius. Entscheidend dabei ist: Coppolas Perspektiv.

Das Glas, das die Sehkraft verstärkt, das natürliche Sehen aber verfälscht, bringt Nathanael Olimpia nahe und kehrt damit zugleich seine Perspektive um. Ganz ähnlich der optischen Funktionsweise eines Fernrohrs wird Großes klein, Kleines groß, die Welt steht Kopf (Heinritz 1992). Clara erscheint ihm als ein »lebloses verdammtes Automat«, die wesenlose Puppe indessen wird zur begehrten Frau. »Im *Sandmann* wird der Übergang von ›der klaren und deutlichen‹ Erkenntnis zu einer vernunftabgewandten Vorstellungswelt gleichsam in Zeitlupe vorgeführt. Die entscheidende Stelle dazu ist Nathanaels Blick durch sein ›Taschenperspektiv‹« (Heinritz 1992, S. 350). Durch das Perspektiv gesehen wird Olimpia für ihn lebendig; ihr hölzernes Treiben gleicht dem der guten Gesellschaft, die so als seelenlos entlarvt wird. Da sie Olimpia zwar für merkwürdig, aber doch ihresgleichen hält, erscheint nicht nur Nathanael als blind. Sein Blick trübt sich, indem er nur Augen für Olimpia hat. Ihre Augen wiederum ziehen ihn in ihren Bann. Solange Nathanael Olimpias Blick seltsam starr und tot vorkommt, ist sie ihm gleichgültig. Er verliebt sich erst, als ihre Augen ihm belebt erscheinen: Während Nathanael Olimpia nochmals durch das Perspektiv betrachtet, um sie von Kerzen geblendet deutlicher sehen zu können, dringt ihr Liebesblick zündend in sein Inneres. Er bleibt entflammt, bis ihre fehlende Augen ihn ernüchtern. Sie waren ohnehin nur der Spiegel der Seele, die ihr Nathanael selbst einhauchte: Coppelius scheiterte im alchemistischen Experiment an der Belebung der künstlichen Menschen, da er ihnen keine Augen, mithin keine Seele verleihen konnte, Olimpia dagegen lebt, da ihr Nathanael sein Herz schenkt. In seiner Phantasie ist sie so lebendig, wie es der Sandmann war.

Motivkomplex
»Sehen« Die Begriffe Perspektiv, Perspektive, Sehen, Auge bilden somit den zentralen Motivkomplex, der in zahlreichen Wandlungen die strukturelle Einheit und thematische Dichte der Erzählung gewährleistet. Sie werden als Ausdruck für Gefühle, als Symbole oder als Metaphern verwandt und kennzeichnen zugleich Wendungen in Nathanaels Lebensweg: Die blutig zum Kopf herausspringenden Augen in der Erzählung vom Sandmann brannten sich Nathanael ein. Erlebt oder geträumt, erstes Delirium des angstbesessenen Knaben oder realer Bericht der Darstellungswelt der Erzählung – Coppelius will ihm ein schön Paar Kinderaugen entreißen, als er ihn entdeckt. Clara verwirft Nathanaels Gedicht, in dem Coppelius Claras Augen berührt, die aus ihren Höhlen springen, um Nathanael zu versengen. Im Duell mit Lothar zeigen brennende Augen die Wut, beim Streit um Olimpia sieht Nathanael sein Gedicht ins Leben treten, als ihm Spalanzani ihre blutbespritzten Augen an die Brust schleudert. Die Brillen, die Coppola als »sköne Oke« anpreist, entsetzen Nathanael, der daraufhin das Perspektiv kauft, durch das er, sowohl Olimpia als auch Clara betrachtend, dem Wahnsinn verfällt. Hoffmanns Wissenschaftskritik ist offensichtlich. »Es darf nicht vergessen werden, daß in demselben Jahr, in dem Hoffmanns *Nachtstücke* veröffentlicht wurden, in England ein Roman entstand, dessen Held zum Symbol einer menschenfeindlichen Wissenschaft geworden ist und als solcher bis heute in der Filmkunst fortlebt: Frankenstein« (Slavgorodskaja 1996, S. 40).

Figurenpaar
Clara/Olimpia Neben den Figuren Coppelius und Coppola ist das Figurenpaar Clara/Olimpia dabei auf die unterschiedlichste Weise betrachtet worden. Nathanael kann sich in Olimpia verschauen, weil sie Clara entspricht: Olimpia macht nur wenige Worte; Clara wird als eine schweigsame Natur bezeichnet. Olimpia »spricht« zu

Nathanael durch ihre Augen; Claras heller Blick wird für sprechend erachtet. Olimpias Wuchs ist reinstes Ebenmaß; bei Claras Wuchs werden die reinen Verhältnisse bemerkt. Claras Augen gleichen einem See, in dem sich »des wolkenlosen Himmels reiner Azur« spiegelt, aus ihrem Blick strahlen »wunderbare himmlische Gesänge«, die in das Innere dringen; Olimpias Augen entsenden »Mondesstrahlen«, sie sind voll »Liebe und Sehnsucht«, sie verklären Nathanaels Inneres. Clara wird wie Olimpia als himmlisch, als herrlich beschrieben. Beide erhebt Nathanael zu reinen, fast körperlosen Frauen, die er anbetet. Allein, Nathanael hält Clara bald für stumpf, Olimpia aber für feinsinnig, v. a. in der von ihm geliebten Kunst.

Wird *Der Sandmann* als reine Künstlernovelle gelesen, so schildert Hoffmann mit dem Scheitern des romantischen Poeten Nathanael eine Krise der Subjektivität (Schmidt 1981), dem Clara als Widerpart gegenübersteht, denn in ihrem Wesen stimmen Verstand und Gefühl überein. Der lebensfesten Clara sind allzu verstiegene Schwärmer verdächtig. Sie wird von ihnen deshalb als abweisend gescholten. Andere aber lieben sie gerade deswegen als gefühlvolles, verständiges Mädchen. So auch Nathanael. Sie verstehen einander, zumindest anfangs. Die Kunst, in der er sich leichthin bewegt, verbleibt im Rahmen des bürgerlichen Alltags. Sie soll bescheiden erheitern und gehört zum guten Ton. Mehr nicht. Als Nathanael zu sehr in sich selbst versinkt, werden er und Clara einander fremd. Er spinnt sich ein in seine eigene poetische Welt, in die sie ihm weder folgen mag noch kann. Nathanael fühlt sich unverstanden, er kapselt sich ab. Seine Heilung wird damit zuerst erschwert, dann unmöglich. Schon seine ersten Briefe geben nicht allein eine Anamnese, die Vorgeschichte einer Krankheit aus Sicht des Kranken, sie sind vielmehr zugleich Zeichen der verminderten Mitteilungsfähigkeit, die das spätere Geschehen prägt. Er kann oder will sich Clara nicht mitteilen, die ihm doch eigentlich am nächsten steht. Er schreibt Lothar. Der Briefwechsel mit ihr verdankt sich nur einem Versehen. Doch eher noch in seinen Briefen denn in seiner Dichtung kann sich Nathanael ausdrücken. Er ist empfänglich für die Eindrücke, die er zu der inneren Bilderwelt verdichtet, der er sich zunehmend hingibt. Er bedarf aber der strengen, mechanischen

Künstlerno-velle

Krise der Kommunika-tion

Regeln des Gedichts, um seine wirren Gesichte überhaupt zu fassen. Da er indes lediglich die Bilder beschreibt, die er vor seinem inneren Auge sieht, vermag er sie nicht sinnvoll wiederzugeben. Kein Wunder also, dass die zermürbte Clara ihm wegen seines unsinnigen Märchens Vorhaltungen macht. Die Not allerdings, die er diesmal schreibend zu überwinden sucht, nachdem er bereits den Sandmann malend bannen wollte, begreift sie nicht, obschon sie geduldig lange zu ihm steht. Die Therapie geht fehl. Nathanael fleht dichtend, Clara greift zum Strickstrumpf. Sie kann folglich einerseits als ebenso leblos wie Olimpia gedeutet werden (vgl. Hayes 1972); selbst der Erzähler betrachtet sie nicht ohne Skepsis:

Beurteilung
Claras durch
den Erzähler

»Der Text gibt nicht den geringsten Hinweis, der es nahelegt, Claras Haltung irgendeine Schuld am Schicksal Nathanaels zuzuschreiben. Und trotzdem kritisiert der Erzähler die dahinter sich verbergende Weltanschauung in subtiler Form. Das führt zu dem sehr merkwürdigen Ende des *Sandmann*. Der Erzähler beschreibt zweifellos ein Idyll, ja fast einen Märchenschluß, bettet ihn jedoch in einen Konjunktiv. Die Andeutung durch die Möglichkeitsform relativiert dieses Idyll entschieden. Dem Erzähler scheint es problematisch zu sein. Clara hat lange neben und mit einem seelisch Kranken gelebt, hat Ängste ausgestanden, die von der Sorge um den geliebten, von der bedrückenden Nähe des Wahnsinns bis hin zur höchsten Todesfurcht in der Turmszene gestaltet wurden, sie hat den Wahnsinn kennen gelernt und seine verheerenden Auswirkungen mit aller Intensität am eigenen Leib erfahren müssen. Wenn es, so legt es der Erzähler nahe, nach so zahlreichen Nöten, ja Zusammenbrüchen, immer noch möglich ist, das ›ruhige häusliche Glück‹ zu finden und es auch zu leben, dann kann dieses Glück nur ein scheinbares sein, das auf vollendeter Verdrängung beruht« (Auhuber 1986, S. 71). Andererseits jedoch spricht einiges für eine positive Sichtweise Claras, denn ihre gute Absicht darf nicht vergessen werden: Sie will Nathanael helfen, indem sie seine fixe Idee mit Argumenten beseitigt, obgleich er sich ihr dadurch nur noch um so mehr entzieht. Er sieht in ihr das Phantastische verleugnet, das er stattdessen in Olimpia zu erkennen meint.

Ganz aufmerksam scheint ihm die stumme Olimpia zu lauschen. Unbeirrbar hört sie dem Selbstgespräch Nathanaels zu. Anders als Clara hält sie still, sie fordert nichts, widerspricht nicht. Ihr kann er alles vortragen, ihr kann er sich offenbaren, ihr ist nicht langweilig. Nathanaels Phantasie ersetzt endgültig die Wirklichkeit. Endlich glaubt er sich verstanden. Seine Liebe zu Olimpia kann damit als Kritik Hoffmanns an der Kunstauffassung einer falsch verstandenen Romantik interpretiert werden, in der die Poesie die Wirklichkeit ersetzt (vgl. von Matt 1971, Vietta 1980).

Romantikkritische Bedeutungsebene

»In schroffer Abkehr von jener Gestaltung des Liebesmotivs, wie wir sie zum Beispiel bei Novalis finden – integriert Hoffmann eine explizit romantikkritische Bedeutungsebene in den Motivkomplex. Wenn Hoffmann den Nathanael vor der Automate Olimpia schwärmen läßt ›O du herrliche, himmlische Frau! – du Strahl aus dem verheißenden Jenseits der Liebe – du tiefes Gemüt, in dem sich mein ganzes Sein spiegelt‹ so führt er hier den Prozeß der semantischen Entleerung zentraler Begriffe und Motive der Romantik kritisch vor« (Vietta 1980, S. 30).

Da Nathanael zudem die Bilder seines Innern auf Olimpia desto besser projizieren kann, je länger sie schweigt, sieht er sich in ihr gespiegelt. Mehr noch: In ihr findet er sein verlorenes Selbst wieder. Nathanael liebt folglich nicht Olimpia, Nathanael liebt sich selbst. Die Zerstörung der Gliederpuppe zieht damit seine eigene Zerstörung nach sich. Ihre Vernichtung kommt seiner Vernichtung gleich. Der Wahnsinn, der ihn zum Selbstmord treibt, steigert sich endgültig zur nicht mehr wirklich heilbaren Krankheit, als er Coppola mit Spalanzani verschworen findet, die seine narzisstische Liebe morden. Ob daher Coppelius nun Coppola ist oder nicht oder ob allein die Kindheitserzählung vom *Sandmann* und der Schock durch Coppelius' Drohung, ihm die Augen auszureißen, zu einer lebenslangen Krankheit führten, so oder so, der Feuerkreis dreht sich, Nathanael ist dem Sandmann nicht entkommen.

Narzissmus

Literaturhinweise

Die Auswahlbibliografie beschränkt sich im Wesentlichen auf die im Text erwähnten Arbeiten. Einen umfassenden Überblick über die Sekundärliteratur geben Karl Goedeke: *Grundriß zur Geschichte der deutschen Dichtung aus den Quellen*, Bd. VIII., Dresden 1905, Bd. XIV., Berlin 1959, sowie Gerhard Salomon: *E. T. A. Hoffmann Bibliographie*, Berlin 1924 (Reprint Hildesheim 1963, 1983), und Jürgen Voerster: *160 Jahre E. T. A. Hoffmann-Forschung, 1805–1965. Eine Bibliographie mit Inhaltserfassung und Erläuterungen*, Stuttgart 1967. Neuere Sekundärliteratur listen die *Mitteilungen der E. T. A. Hoffmann-Gesellschaft* (MHG) 9 (1962), 12 (1966), 16 (1970), 27 (1981) und die seit 1993 erscheinenden E. T. A.-Hoffmann-Jahrbücher auf.

Erstdruck

Nachtstücke herausgegeben von dem Verfasser der Fantasiestücke in Callot's Manier. Erster Theil. Berlin 1817 (*Der Sandmann*. S. 1 ff.)

Werkausgaben

Historisch-kritische Ausgabe mit Einleitungen, Anmerkungen und Lesarten v. Carl Georg von Maassen. Bd. 1–4 und 6–10 (unvollendet). München/Leipzig 1908 ff.

Werke in fünfzehn Teilen. Auf Grund der Hempelschen Ausgabe neu hg. mit Einleitungen und Anmerkungen versehen v. Prof. Dr. Georg Ellinger. Berlin u. a. 1912

Sämtliche Werke in sechs Bänden. Hg. v. Wulf Segebrecht u. Hartmut Steinecke unter Mitarbeit von Gerhard Allroggen, Ursula Segebrecht u. a. Frankfurt/M. 1985 ff.

Lebenszeugnisse

Schnapp, Friedrich (Hg.): *E. T. A. Hoffmanns Briefwechsel*. Band 1–3. München 1967 ff.

Schnapp, Friedrich (Hg.): *E. T. A. Hoffmann in Aufzeichnungen seiner Freunde und Bekannten*. München 1974

Schnapp, Friedrich (Hg.): E. T. A. Hoffmann. *Tagebücher*. Nach der Aus-

gabe Hans v. Müllers mit Erläuterungen hg. v. Friedrich Schnapp.
München 1971

Sekundärliteratur

Aichinger, Ingrid: »E. T. A. Hoffmanns Novelle *Der Sandmann* und die Interpretation Sigmund Freuds«, in: *Zeitschrift für deutsche Philologie* 95 (= Sonderheft E. T. A. Hoffmann). Berlin u. a. 1976, S. 113 ff.

Auhuber, Friedhelm: *In einem fernen dunklen Spiegel. E. T. A. Hoffmanns Poetisierung der Medizin.* Opladen 1986, S. 55 ff.

Auhuber, Friedhelm: »*Der Sandmann.* Aspekte zu E. T. A. Hoffmanns Erzählkunst«, in: Häfner, Johannes (Hg.): E. T. A. Hoffmann: *Der Sandmann.* Faksimile-Ausgabe als Gesamtkunstwerk. Berlin 1998, S. 93 ff.

Cadot, Michel: »Kunst und Artefakt in einigen ›Nachtstücken‹ Hoffmanns«, in: Paul, Jean-Marie (Hg.): *Dimensionen des Phantastischen. Studien zu E. T. A. Hoffmann.* St. Ingbert 1998, S. 201 ff.

Drux, Rudolf: *Marionette Mensch. Ein Metaphernkomplex und sein Kontext von E. T. A. Hoffmann bis G. Büchner.* München 1986, S. 80 ff.

Elling, Barbara: »Die Zwischenrede des Autors in E. T. A. Hoffmanns *Sandmann*«, in: *MHG* 18 (1972), S. 47 ff.

Fink, Gontier-Louis: »Die narrativen Masken des romantischen Erzählers: Goethe, Novalis, Tieck, Hoffmann. Von der Symbolischen zur phantastischen Erzählung«, in: Paul, Jean-Marie (Hg.): *Dimensionen des Phantastischen. Studien zu E. T. A. Hoffmann.* St. Ingbert 1998. S. 71 ff.

Freud, Sigmund: *Das Unheimliche* [1919]; in: Mitscherlich, Alexander u. a. (Hg.): Sigmund Freud: *Studienausgabe.* Bd. 4. Frankfurt/M. 1970, S. 241 ff.

Freund, Winfried: »Das verblendete Bewußtsein. E. T. A. Hoffmann: *Der Sandmann* (1817)«, in: *Literarische Phantastik. Die phantastische Novelle von Tieck bis Storm.* Stuttgart u. a. 1990, S. 85 ff.

Gendolla, Peter: *Die lebenden Maschinen. Zur Geschichte der Maschinenmenschen bei Jean Paul, E. T. A. Hoffmann und Villiers de L'Isle-Adam.* Marburg 1980, S. 164 ff.

Hartung, Günter: »Anatomie des *Sandmanns*«, in: *Weimarer Beiträge* 23 (1977), H. 9, S. 45 ff.

Hayes, Charles: »Phantasie und Wirklichkeit im Werke E. T. A. Hoffmanns. Mit einer Interpretation der Erzählung *Der Sandmann*«, in: Peter, Klaus u. a. (Hg.): *Ideologiekritische Studien zur Literatur.* Frankfurt/M. 1972, S. 169 ff.

Heinritz, Reinhard: »Teleskop und Erzählperspektive«, in: *Poetica* 24 (1992), S. 341 ff.

Hendel, Rainer: »Pygmalion. Das Motiv der Liebe zur Puppe in Texten von Goethe bis Lem«, in: *Der Altsprachliche Unterricht* 26 (1983), H. 1, S. 56 ff.

Hoffmann, Ernst Fedor: »Zu E. T. A. Hoffmanns *Sandmann*«, in: *Monatshefte* 54 (1962), S. 244 ff.

Hohoff, Ulrich: *E. T. A. Hoffmann: ›Der Sandmann‹*. Textkritik, Edition, Kommentar. Berlin u. a. 1988

Koebner, Thomas: »E. T. A. Hoffmann: *Der Sandmann* (1816). Fragmentarische Nachricht vom unbegreiflichen Unglück eines jungen Mannes«, in: *Interpretationen. Erzählungen und Novellen des 19. Jahrhunderts*. Bd. 1. Stuttgart 1988, S. 257 ff.

Kohnen, Joseph: »Johann Georg Scheffner und Coppelius. Einige Notizen zum Urbild des *Sandmanns*«, in: *Germanistik Luxembourg* 5 (1993), S. 51 ff.

Kremer, Detlef: »›Ein tausendäugiger Argus‹. E. T. A. Hoffmanns *Sandmann* und die Selbstreflexion des bedeutsamen Textes«, in: *MHG* 33 (1987), S. 66 ff.

Lehmann, Hans-Thies: »Exkurs über E. T. A. Hoffmanns *Sandmann*. Eine texttheoretische Lektüre«, in: Dischner, Gisela/Faber, Richard (Hg.): *Romantische Utopie – Utopische Romantik*. Hildesheim 1979, S. 301 ff.

Leopoldseder, Hannes: *Groteske Welt. Ein Beitrag zur Entwicklungsgeschichte des Nachtstücks in der Romantik*. Bonn 1973

Loquai, Franz: »E. T. A. Hoffmanns *Der Sandmann*. Forschungsgeschichte und Interpretation«, in: Ehlert, Anke (Hg.): *Das Wort. Germanistisches Jahrbuch 1996*. Moskau 1996, S. 11 ff.

Matt, Peter von: *Die Augen der Automaten. E. T. A. Hoffmanns Imaginationslehre als Prinzip seiner Erzählkunst*. Tübingen 1971, S. 76 ff.

Mülher, Robert: »Zum Verständnis der *Nachtstücke*«, in: E. T. A. Hoffmann: *Nachtstücke. Der Sandmann. Das öde Haus. Das steinerne Herz*. Hamburg 1964, S. 97 ff.

Neymeyr, Barbara: »Narzißtische Destruktion. Zum Stellenwert von Realitätsverlust und Selbstentfremdung in E. T. A. Hoffmanns Nachtstück *Der Sandmann*«, in: *Poetica* 29 (1997), S. 499 ff.

Obermeit, Werner: »*Das unsichtbare Ding, das Seele heißt«. Die Entdeckung der Psyche im bürgerlichen Zeitalter*. Frankfurt/M. 1980, S. 104 ff.

Oettinger, Klaus: »Die Inszenierung des Unheimlichen. Zu E. T. A. Hoffmanns Erzählung *Der Sandmann*«, in: Ehlert, Anke (Hg.): *Das Wort. Germanistisches Jahrbuch 1996*. Moskau 1996, S. 24 ff.

Orlowsky, Ursula: *Literarische Subversion bei E. T. A. Hoffmann. Nouvelles vom »Sandmann«*. Heidelberg 1988

Perlyna, Julia G./Vedenkova, Maja S.: »*Der Sandmann* von E. T. A. Hoffmann. Kerngedanke des Werks aus linguostilistischer Sicht«, in: Ehlert, Anke (Hg.): *Das Wort. Germanistisches Jahrbuch 1996*. Moskau 1996, S. 67 ff.

Pikulik, Lothar: Nachwort zu E. T. A. Hoffmann: *Nachtstücke*. Frankfurt/M. 1982

Ponnau, Gwenhaël: »Erzählen als Inszenieren in Hoffmanns *Sandmann*«, in: Paul, Jean-Marie (Hg.): *Dimensionen des Phantastischen. Studien zu E. T. A. Hoffmann*. St. Ingbert 1998, S. 153 ff.

Preisendanz, Wolfgang: »Eines matt geschliffnen Spiegels dunkler Widerschein. E. T. A. Hoffmanns Erzählkunst«, in: Prang, Helmut (Hg.):
E. T. A. Hoffmann. Darmstadt 1976, S. 270 ff.

Reuchlein, Georg: *Bürgerliche Gesellschaft, Psychiatrie und Literatur.
Zur Entwicklung der Wahnsinnsthematik in der deutschen Literatur
des späten 18. und frühen 19. Jahrhunderts*. München 1986, S. 323 ff.

Ringel Stefan: »E. T. A. Hoffmanns Werke im Film«, in: *E. T. A. Hoff-
mann-Jahrbuch*, Bd. 3, S. 84 ff.

Ringel, Stefan: *Realität und Einbildungskraft im Werk E. T. A. Hoffmanns*, Köln u. a. 1997

Rohrwasser, Michael: *Coppelius, Cagliostro und Napoleon. Der verbor-
gene Blick E. T. A. Hoffmanns. Ein Essay*. Frankfurt/M. 1991

Sauer, Lieselotte: *Marionetten, Maschinen, Automaten. Der künstliche
Mensch in der deutschen und englischen Romantik*. Bonn 1983

Schemmel, Bernhard: »›Bloß das mechanische Schreiben!‹ Zur Handschrift E. T. A. Hoffmanns«, in: Häfner, Johannes (Hg.):
*E. T. A. Hoffmann: ›Der Sandmann‹. Faksimile-Ausgabe als Gesamt-
kunstwerk*. Berlin 1998, S. 57 ff.

Schmidt, Jochen: *Die Geschichte des Genie-Gedankens in der deutschen
Literatur, Philosophie und Politik 1750–1945*. Bd. 2, Darmstadt
1988, S. 25 ff.

Schmidt, Jochen: »Die Krise der romantischen Subjektivität. E. T. A.
Hoffmanns Künstlernovelle *Der Sandmann* in historischer Perspektive«, in: Brummack, Jürgen u. a. (Hg.): *Literaturwissenschaft und
Geistesgeschichte. Festschrift für Richard Brinkmann*. Tübingen
1981, S. 348 ff.

Schmidt, Ricarda: »E. T. A. Hoffmanns Erzählung *Der Sandmann* – ein
Beispiel für ›écriture féminine‹?«, in: Pelz, Annegret u. a. (Hg.): *Frau-
en, Literatur, Politik*. Hamburg 1988, S. 75 ff.

Schröder, Irene: »Das innere Bild und seine Gestaltung. Die Erzählung
Der Sandmann als Theorie und Praxis des Erzählens«, in: *E.T.A.
Hoffmann Jahrbuch*, Bd. 9, S. 22 ff.

Segebrecht, Wulf: »Krankheit und Gesellschaft. Zu E. T. A. Hoffmanns
Rezeption der Bamberger Medizin«, in: Brinkmann, Richard (Hg.):
Romantik in Deutschland. Ein interdisziplinäres Symposion. Stutt-
gart 1978, S. 267 ff.

Slavgorodskaja, Ljudmilla V.: »*Der Sandmann* im Kontext der romantischen Naturauffassung«, in: Ehlert, Anke (Hg.): *Das Wort. Germanistisches Jahrbuch 1996*. Moskau 1996, S. 36 ff.

Stadler, Ulrich: »*Der Sandmann*«, in: Feldges, Brigitte/Stadler, Ulrich
(Hg.): *E. T. A. Hoffmann. Epoche – Werk – Wirkung*. München 1986,
S. 135 ff.

Tholen, Georg Christoph: »Das Unheimliche an der Realität und die Realität des Unheimlichen«, in: *fragmente 11*, Kassel 1984, S. 6 ff.

Vietta, Silvio: »Das Automatenmotiv und die Technik der Motivschich-
tung im Erzählwerk E. T. A. Hoffmanns«, in: *MHG 26* (1980),
S. 25 ff.

Vogel, Nikolai: *E. T. A. Hoffmanns Erzählung ›Der Sandmann‹ als Interpretation der Interpretation.* Frankfurt/M. u. a. 1998

Walter, Jürgen: »Das Unheimliche als Wirkungsfunktion. Eine rezeptionsästhetische Analyse von E. T. A. Hoffmanns Erzählung *Der Sandmann*«, in: *MHG* 30 (1984), S. 15 ff.

Wawrzyn, Lienhard: *Der Automaten-Mensch. E. T. A. Hoffmanns Erzählung vom »Sandmann«. Mit Bildern aus Alltag und Wahnsinn.* Auseinandergenommen und zusammengesetzt von Lienhard Wawrzyn. Berlin 1990

Sandmann: In Sagen oder Märchen streut der freundliche Sand- 7.1
mann Kindern Sand in die Augen, um ihnen den Schlaf zu bringen. Hoffmann verbindet den Sandmann mit dem verbreitet
überlieferten Kinderschreck, dem bedrohlichen schwarzen
Mann oder Kinderfresser, der zu den ungehorsamen Kindern
kommt. Nathanaels Mutter erklärt den Sandmann richtig. Bei
Müdigkeit werden Augen trocken, an den Augenrändern bilden
sich kleine, trockene Körperchen, die dem Gefühl nach Sand-
körnern gleichen.

Nathanael: Der hebr. Name entspricht dem griech. Theodor: 9.1
»von Gott geschenkt«. Clara bedeutet »die Hellsichtige, die Ver-
nünftige«, Olympia, in ital. Schreibweise Olimpia, »die aus dem
Olymp Kommende«. Der Olymp ist in der klassischen griech.
Mythologie der Sitz der Götter. Ihr Name wurde als Spott Hoffmanns auf das Schönheitsideal der Klassik gemünzt, da sich mit
ihr klassische Vollkommenheit in automatenhafte Starre ver-
kehrt. In Siegmund ist das Ahd. »munt« enthalten, das mit
»Schutz« übersetzt werden kann.

wie schwarze Wolkenschatten: Gefühlslagen und Stimmungs- 9.15
wechsel drücken sich häufig in Wetterbildern aus. Die Hell-
Dunkel-Kontraste sind entsprechend den Nachtstücken in der
Malerei gestaltet, die bei Georges de la Tour, Caravaggio, Rubens, Pieter Brueghel der Jüngere oder Rembrandt zu finden
sind.

Geisterseher: Als Geisterseher wird ein überspannter Schwär- 9.24
mer und Phantast bezeichnet, der Einbildung und Wirklichkeit
verwechselt und somit vom Wahnsinn nicht weit entfernt ist.
Hoffmann verwendet das Wort aber ebenso für Menschen, deren Phantasie und Empfindsamkeit über die Alltagswelt hinaus-
reicht. Friedrich Schillers (1759–1805) Roman *Der Geisterseher*
(1789) war eines der Lieblingsbücher Hoffmanns. Das Vorbild
für Schillers armen Magier war Guiseppe Balsamo (1743–1795),
der sich Cagliostro nannte.

Mittags um 12 Uhr: Im Volksglauben gilt die zwölfte Stunde als 9.28
Zeit der Geister. In der griech. Mythologie ist sie die Stunde, in

der Gott Pan erscheint, um panischen Schrecken zu verbreiten. Nathanael besteigt zur Mittagsstunde den Turm, von dem er sich in die Tiefe stürzt, nachdem er Coppelius erblickt hatte. Coppelius kommt mittags zum Essen. Die Anfangsszene, in der Coppola, und die Schlussszene, in der Coppelius auftaucht, spielen mittags 12 Uhr. Hoffmann verwendet häufig die Geisterstunde in seinen Geschichten, um unerklärliche Phänomene auftauchen zu lassen. Um Mitternacht erscheinen so Geister, Doppelgänger, Nachtwandler, Vampire. Tode, Morde und Blutbäder geschehen um Mitternacht.

9.28 **Wetterglashändler**: Das Wetterglas war ein barometerähnliches Instrument zur Vorhersage des Wetters; es bestand aus einem verkorkten oder mit einer Schweinsblase verschlossenen Glasrohr, welches eine Lösung aus Salmiak, Salpeter, Kampfer, Alkohol und Wasser enthielt. An einem schattigen, vor Wind geschütztem Fenster aufgehangen, soll aus den Kristallisationen der Lösung das Wetter vorauszusagen sein. Bei kommendem schönen Wetter sollen sich wolkenartige Trübungen unten, bei schlechtem Wetter oben ergeben. Im 17. und 18. Jh. wurden auch Thermometer als Wetterglas bezeichnet.

10.11–12 **wie Franz Moor den Daniel**: In Schillers *Die Räuber*, 5. Akt, 1. Szene, bittet Franz Moor den Diener Daniel ihn derb auszulachen, um zu zeigen, dass sein Angsttraum, in dem die Toten auferstehen, nur der Traum eines Narren war. Franz Moor fürchtet, die Alpträume von der eigenen Schuld könnten ihn in den Wahnsinn treiben.

10.13–14 **mein Geschwister**: Als Geschwister wurde auch eine einzelne Person, Bruder wie Schwester, bezeichnet. Eine jüngste Schwester Nathanaels wird ebenso erwähnt wie weinende Schwestern beim Tod des Vaters. In einer gestrichenen Szene der Handschrift erblindet die jüngste Schwester und stirbt, nachdem Coppelius sie berührte.

10.28 **schlug die Uhr neun**: Die Zahl 9 spielt im Aberglauben eine herausragende Rolle. In *Ignaz Denner* sind die Kinder, die Trabacchio tötet, »neun Wochen, neun Monate oder neun Jahre alt« (*Sämtliche Werke*, Bd. 3, S. 104).

11.19–20 **krumme Schnäbel**: Mit den Eulen wird die Raubtiermotivik eingeführt, die später zur Schilderung des Coppelius dient; als physiognomische Eigenschaften werden funkelnde Katzenaugen, ein schiefes Maul, eine erdgelbe Gesichtsfarbe, ein zischender Tonfall und buschige Augenbrauen angeführt. Stechende Augen gelten seit Matthew Gregory Lewis' (1775–1818) Schauerroman *Der Mönch* als Merkmal unheimlicher Figuren. Auch der Wahnsinn wird als Raubtier geschildert, das seine Opfer eulengleich mit »glühenden Krallen« zerreißt. Als Vorbild könnte der altröm. Kinderschreck Manducus gedient haben, den Hoffmann aus seiner Lektüre Carl Friedrich Flögels (1729–1788) *Geschichte des Groteskkomischen* (1788) gekannt hat.

zehn Jahre alt: Da Nathanael schon lang vor dem Sandmann graute, kann geschlossen werden, er sei um die acht Jahre gewesen, als ihm die fatale Geschichte erzählt wurde. Nach Ansicht der zeitgenössischen psychologisch-medizinischen Abhandlungen galt die späte Kindheit als besonders anfällig für seelische Fehlentwicklungen. Angenommen wurde, in ihr bilde sich das Vorstellungsvermögen besonders heraus, und die Phantasie herrsche über die Vernunft. 12.18

Das Herz bebte mir [...] springt rasselnd auf!: Der Zeitwechsel verdeutlicht, dass für Nathanael das Erzählte lebendige Gegenwart ist. Der Student verschmilzt mit dem Knaben. Die Distanz zwischen Erleben und Erzählen ist aufgehoben. 13.15–18

Mit Gewalt mich ermannend: Hoffmann hielt die Szene in einer Zeichnung fest, die Julius Eduard Hitzig (1780–1849) in seiner Hoffmann-Biographie *Aus Hoffmann's Leben und Nachlass* (1823) veröffentlichte: »Der Sandmann. Facsimile. Aus den Handzeichnungen ausgesucht, um zu zeigen, wie Hoffmann die Gestalten, die er auftreten ließ, lebendig vor sich stehn sah. Er erzählte dem Herausgeber den Inhalt des Sandmanns, den er sich zu schreiben vorgesetzt, und warf, während des Sprechens, die Scene S. 13. Th. 1. der Nachtstücke, auf ein vor ihm liegendes Stück Aktenpapier.« 13.18

Coppelius: Der Name enthält das ital. »coppo«: »Augenhöhle«. Er steht aber auch für »Becher« oder »Schale«. Als »coppella« wird der Schmelztiegel der Alchimisten bezeichnet, in dem Stoffe vereint und voneinander geschieden werden. »Copellare« ist dem franz. »couppelateur«: »Scheidekünstler«, ver- 13.22

wandt. Lat. »copulare« heißt »verbinden, fesseln«. Indem Coppelius Nathanael die Augen abverlangt, verbindet er Fremdes miteinander und scheidet Zusammengehörendes voneinander. Ähnlich sind mit der schwarzen Höhlung im Laboratorium die schwarzen Höhlen der augenlosen Gesichter verbunden. Der Ort und das Objekt der Handlung werden miteinander verknüpft. Coppelius' Mühe, den Mechanismus der Hände und Füße recht zu observieren, sowie sein vergeblicher Umbau menschlicher Glieder kann als Kritik Hoffmanns an der mechanistischen Weltsicht gedeutet werden, in der alles nach den Gesetzen der Mechanik funktioniert. Die *Allgemeine Encyklopädie* (Bd. 6, 1723, S. 1203) nennt einen Coppola: »Coppuleus oder vielmehr Coppola, (Markus) ein Neapolitaner und Mönch montis Olivete, ward 1498 Bischoff zu Monte Pelusio und erhielt dabei die Freyheit, statt weißen Habits einen schwartzen zu tragen.«

13.35 **aschgrauen Rocke**: Grau ist im Volksaberglauben die Farbe der Geister. Der Teufel liebt den grauen Rock. Grau spielt in der Schlussszene nochmals eine Rolle: Der »kleine graue Busch«, auf den Clara hinweist, wird in Beziehung zu Coppelius gesetzt, der gerade in die Stadt kommt. Coppelius' gesamte Aufmachung soll angeblich an den Physiker Gottfried Christoph Beireis erinnern. Beireis war in Besitz der Vaucanson'schen Automaten. Nach Beireis Tod wurden sie verkauft. In den *Biographische Nachrichten über den zu Helmstädt verstorbenen Hofrath und Doktor G. C. Beireis* (1811, S. 5 ff.) heißt es: »Das Aeußere dieses Mannes hatte viel eigenes. Er war mehr klein als groß, nicht stark, und blaß im Gesicht, ging etwas gebückt, im Auge und in der Sprache viel Lebhaftigkeit. Er trug eine weiße ziegenhaarene niedrige Perrücke, hinten mit einem kleinen Knoten und an den Seiten mit weit vorgehenden Locken, welche am Augenwinkel anfingen und über dem Ohr endeten. Eine weiße, dünne und schmale Halsbinde wurde hinten durch eine große silberne Schnalle gehalten, und der Rock, mit großen Schößen und Aufschlägen, war, so wie die lang getaschte Weste und die Beinkleider von hellblauem Tuche. Hochklappige Schuhe mit kleinen runden Schnallen und schwarze Strümpfe zierten den untern Theil.« Hoffmann hatte bereits in *Der Magnetiseur* auf Beireis angespielt.

Haarbeutel: Zumeist ein Seidenbeutel oder ein gummiertes 14.5
Tuch, in dem bis zur Franz. Revolution die gepuderten Nacken-
haare mit Band oder Samtschleife eingebunden wurden.

gefältelte Halsbinde: Vorläufer der Krawatte aus Leinen, die 14.6–7
zwischen 1640 und 1850 um den Hals gefaltet und geschlungen
mit einer Spange oder Schnalle festgehalten wurde.

Augen her: Augen spielen sowohl bei der Herstellung von Zau- 15.30
berelixieren und bei magischen Handlungen eine gewichtige
Rolle. In Johann August Apels (1771–1816) Erzählung *Der
Freischütz*, nach dem Friedrich Kind (1768–1843) das Libretto
zu Carl Maria von Webers (1786/87–1826) gleichnamiger Oper
schrieb, werden Augen bei der Herstellung von Freikugeln
benötigt, die ihr Ziel immer treffen. Der Handel mit ausgesto-
chenen Augen ist ein weit verbreitetes Märchenmotiv. In der
Alchemie bezeichnet Auge einen metallurgischen Vorgang. Coppelius' Forderung nach Augen könnte daher ebenso den alchemistischen Erzaugen gelten (vgl. Hoffmann 1962, S. 250 f.)

Alte: Mephisto redet so in Goethes *Faust I*, V. 350, Gott an. 16.14
Coppelius' Nähe zu Satan wird dadurch bestärkt und zugleich
auf die Rangordnung verwiesen. Coppelius wird damit als
Schöpfer gekennzeichnet.

hitziges Fieber: Fieber gilt heutzutage als körpereigene Reakti- 16.28
on auf Infektionen und somit als Teil des Heilungsvorganges. Bis
ca. 1820 hingegen galten Fieber als die Krankheit selbst. Die
Zusammenfassung der Fieber in Johann Christian Reils fünf-
bändigem Standardwerk *Erkenntnis und Cur der Fieber*
(1799–1805) war Hoffmann gut bekannt. Fieber galt demnach
als Störung der Lebenskräfte. Am Krankheitsort bilde sich mehr
Wärme als in gesundem Zustand. Der restliche Körper werde
von dort her erwärmt.

Coppelius ließ sich [...] die Stadt verlassen.: An dieser Stelle 17.3–4
folgt in der Handschrift eine Passage, die in der Druckfassung
gestrichen wurde. Der gestrichene Abschnitt hätte wohl zu sehr
Nathanaels Ansicht gestützt, Coppelius, Coppola, der Sandmann sei wirklich eine feindlich-dämonische Macht. Die gesamte Erzählung wäre somit nicht mehr schattenhaft vage geblieben:
»Wie gesagt, Coppelius ließ sich nicht mehr sehen, mein Vater
schien unbefangen und heiter, nicht mit einer Sylbe wurde mei-

ner Neugierde, die ich so schwer büßen mußte erwähnt. – Ich war vierzehn, meine jüngste Schwester, der Mutter treues Ebenbild, anmuthig, sanft und gut wie sie, sechs Jahr alt worden, ich liebte sie sehr, und so geschah es, daß ich oft mit ihr spielte. So saß ich einst mit ihr in unserer ziemlich einsamen Straße vor der Hausthür, und ließ ihre Puppen miteinander sprechen, so daß sie in kindischer Lust lachte und jauchzte Da stand mit einem Mahl der verhaßte Coppelius vor uns – Was wollen Sie hier? – Sie haben hier nichts zu suchen – Gehen Sie – gleich gehen Sie – So fuhr ich den Menschen an, und stellte mich wie kampflustig vor ihn hin – Hoho hoho klein⟨e⟩ Bestie – lachte er hämisch, aber er schien nicht ohne Scheu vor meiner kleinen Person. Doch schnell, ehe ich mir's versah, ergriff er m⟨eine⟩ kleine Schwester – Da schlug ich ihn nach dem Gesicht – er hatte sich gebückt – ich traf ihn schmerzlich – mit wüthendem Blick fuhr er auf mich loß – ich schrie Hülfe – Hülfe – des Nachbars Brauers Knecht sprang vor die Thür, Hey Hey – hey – der tolle Advokat – der tolle Coppelius – macht euch über ihn her macht euch über ihn her – so rief es und stürmte von allen Seiten auf ihn ein – er floh gehetzt über die Straße – Aber nicht lange dauerte es, so fingen meinem Schwesterlein die Augen an zu schmerzen, Geschwüre, unheilbar sezten sich dran – in drey Wochen war sie blind – drey Wochen darauf vom Nervenschlag getroffen todt – ›Die hat der teuflische Sandmann ermordet – Vater – Vater – gieb ihn bey der Obrigkeit an, den verruchten Mörder! – so schrie ich unaufhörlich. Der Vater schalt mich heftig und bewies mir, daß ich was unsiniges behaupte, aber in dem Jammerblicke der trostlosen Mutter las ich nur zu deutlich, daß sie dieselbe Ahnung in innern trage. – Es hieß, Coppelius habe die Stadt verlaßen –« (*Sämtliche Werke*, Bd. 3, S. 972 f.).

18.11–12 **Bund mit dem teuflischen Coppelius**: Anspielung auf einen Teufelspakt, der ebenso in der Hexenküchenszene des Laboratoriums angezeigt ist, da der »teuflische Coppelius« als »verruchter Satan« benannt wird. Im Tode verzerrte Gesichtszüge galten als Hinweis auf Teufelsbündnerei.

19.3–4 **Sinn und Gedanken**: Im damaligen Wortgebrauch ist »Gedanke« mit Denkvermögen, Bewusstsein und Vorstellungsvermögen, »Sinn« dagegen mit Gefühl oder Empfindung verbunden.

»Sinn und Gedanken« steht somit für die Gesamtheit von Verstand und Gefühl.

alchymistische Versuche: Die Geheimwissenschaft Alchemie, 20.16
auch Alchimie, arab. »al chymeia«, diente als Vorläuferin der Chemie seit dem späten Mittelalter der Veredelung anorganischer Stoffe, vorzugsweise der Gewinnung von Gold aus minderwertigen Metallen. Neben dem Materiellen verfolgten die Alchemisten das geistige Ziel mit Hilfe des Steins der Weisen die kosmischen Zusammenhänge zu erkennen. Oft wird der Stein der Weisen mit einem Lebenselixier oder mit einem künstlich erzeugten Menschen, dem Homunculus, gleichgesetzt. Im späten 18. und frühen 19. Jh. waren ernste Versuche zur Goldgewinnung aus anderen Metallen durchaus noch häufig, wenn auch seit Antoine Laurant Lavoisiers (1743–1794) Versuchen die Alchemie zugunsten der Chemie ersetzt wurde. In der zweiten Hälfte des 18. Jh.s übte die Alchemie jedoch noch immer ihre Faszination aus und erlebte eine neue Blüte.

Spallanzani: Lazzaro Spallanzani (1729–1799) war einer der 23.11
berühmtesten Naturforscher des 18. Jh.s. Er versuchte die Theorie der Urzeugung zu widerlegen. Im Streit um die Urzeugung behaupteten die so genannten Mechanisten, lebende Organismen und unbelebte Natur folgen den gleichen Gesetzmäßigkeiten. Könne nachgewiesen werden, dass Kleinstlebewesen tatsächlich aus einer Nährlösung entstehen können, sei die Brücke zwischen belebter und unbelebter Natur geschlagen. Spallanzani hingegen zählte zu den Vitalisten, die überzeugt waren, Leben könne nur aus Leben entstehen. Spallanzanis Werkzeuge waren Knochenschere, Skalpell und glühende Nadeln. Hoffmann kannte Spallanzanis Versuche aus Carl Ferdinand Alexanders Kluges (1782–1844) *Versuch einer Darstellung des animalischen Magnetismus als Heilmittel* (1811). Bekannt wurde Spallanzani durch Versuche zur künstlichen Befruchtung und Fortpflanzung von Tieren. Die Namenswahl kann daher einerseits als Spott Hoffmanns auf die Wissenschaftsgläubigkeit der Zeit gesehen werden, andererseits aber verweist sie auf die Schaffung künstlicher Menschen.

Cagliostro: Der Vergleich Spallanzanis mit Cagliostro rückt ihn 23.24–25
ins Zwielicht. Der Abenteurer, Magier und Alchimist Alessan-

dro Graf Cagliostro (1743–1795) verschaffte sich durch Spiritismus, Wunderkuren und Goldmacherei Eingang in die europ. Adelskreise. Sein eigentlicher Name war Guiseppe Balsamo. Nach der Halsbandaffäre wurde er 1786 in die Bastille gesperrt, später aus Frankreich ausgewiesen. Das Halsband, das Kardinal Louis Prinz de Rohan (1734–1803), ein großer Bewunderer Cagliostros, erstand, um es durch Gräfin Jeanne de La Motte-Valois Königin Marie Antoinette (1755–1793) zu übergeben, wurde von der Gräfin nach England verkauft. Der Skandal schadete wenige Jahre vor der Franz. Revolution von 1789 dem Ansehen Marie Antoinettes. In Rom wurde Cagliostro wegen Ketzerei zum Tode verurteilt, 1791 aber zu lebenslanger Haft begnadigt. Das zeitgenössische Cagliostro-Bild war durch Goethes Satire auf ihn in der Komödie *Der Groß-Cophta* (1792) geprägt.

23.25 **Chodowiecki**: Der Maler, Zeichner und Kupferstecher Daniel Nikolaus Chodowiecki (1726–1801) wurde durch seine Illustrationen der Erstausgaben dt. Klassiker berühmt. Er hatte Cagliostro für den *Berliner genealogischen Kalender auf das Jahr 1789* in Kupfer gestochen. Der Stich erschien dort als elftes Blatt der Reihe Modetorheiten.

24.25 **gärte und kochte**: Nach damaliger medizinischer Auffassung lösen psychische Eindrücke körperliche Prozesse aus, die wiederum auf das Gemüt wirken. Die Intensität des Gefühls wird in Wärmegraden wiedergegeben.

24.31 **das innere Gebilde**: Hoffmanns Erzählprinzip, das nach seinem Erzählband *Die Serapionsbrüder* benannte »serapiontische Prinzip«, fordert, Ausgangspunkt jedes künstlerischen Schreibens habe ein erregter, inspirierter Zustand zu sein, aus dem heraus Dichtung entstehe: »Jeder prüfe wohl, ob er auch wirklich das geschaut, was er zu verkünden unternommen, ehe er es wagt laut damit zu werden. Wenigstens strebe jeder recht ernstlich darnach, das Bild, das ihm im Innern aufgegangen recht zu erfassen mit allen seinen Gestalten, Farben, Lichtern und Schatten, und dann, wenn er sich recht entzündet davon fühlt, die Darstellung ins äußere Leben ⟨zu⟩ tragen« (*Sämtliche Werke*, Bd. 4, S. 69). Die Verbindung von Malen und Dichten wurde bereits mit der Bezeichnung »Nachtstück« für *Der Sandmann* deutlich. Hoffmann löst damit den Anspruch der Romantik ein, alle Kunstarten sollten miteinander zusammenhängen.

Klimax: (griech. klímax): »Leiter, Treppe«. Höhepunkt der 25.31 rhetorischen Figur der dreistufigen Steigerung.

medias in res: (lat.) »mitten in die Dinge hinein«. Horaz (65 25.32 v.Chr.–8 v.Chr.) empfiehlt in *De arte poetica*, eine Geschichte »in medias res« zu beginnen. Der traditionelle Märchenanfang »Es war einmal« wird somit verworfen.

Battonischem Colorit: Das von Hoffmann bewunderte Bild der 27.5 büßenden Magdalena des spätbarocken Malers Pompeo Girolamo Battoni (1708–1787) hing im Dresdener Museum, das Hoffmann wiederholt besuchte. Kolorit ist ein Begriff aus der Malerei für die Färbung, Farbgebung oder Farbwirkung eines Gemäldes.

Ruisdael: Jacob Isaackzoon van Ruisdael (1628/29–1682), nie- 27.7 derl. Landschaftsmaler. Ruisdaels »Landschaft mit dem Kloster« hing in der Dresdener Galerie. Ruisdaels aus Hügeln, Wasserfällen, Eichen und Wolkenmassen gebildeten Waldlandschaften wirkten auf die Malerei der dt. Romantik, insbesondere auf Caspar David Friedrich (1774–1840).

vorzuquinkelieren: »Mit schwacher, gekünstelter Stimme vor- 27.18–19 singen«. Im übertragenen Sinn: »nicht mit der Sprache herauswollen«.

mystische Schwärmerei: Mystik, von griech. »myein«: »die Au- 28.27 gen schließen«, ist in *Der Sandmann* durchweg negativ besetzt; mystische Schwärmerei entbehrt jeder vernünftigen Grundlage.

am Traualtar stehen: Wie schon in Nathanaels Kindheitserzäh- 30.13 lung verschmelzen Vergangenheit und Gegenwart beim Auftauchen des Coppelius. Die Handlung des Gedichts wird zur erlebten Gegenwart, die Grenze zwischen Literatur und Leben wird aufgehoben.

Feuerkreis: Sinnbild für Nathanaels Wahnsinn. Wer in einen 30.17 magischen Kreis gerät, verfällt der Gewalt des Geistes, der ihn einschloss.

mit scharf geschliffenen Stoßrapieren zu schlagen: Bis Ende des 32.15–16 18. Jh.s wurde an dt. Universitäten mit dem gefährlichen Stoßdegen gefochten, der eine florettähnliche, gerade Klinge hat, die schmaler ist als die des Haurapiers. Später wurde er durch den so genannten Hiebcomment ersetzt und nur noch in Erlangen und Jena bis in die Mitte des 19. Jh.s hinein benutzt. Die Anrede als

Bruder bei Lothar und Siegmund entspricht der damals üblichen Anrede für Mitstudenten.

34.25 **Oke:** Wortspiel, das auf ital. »occhi«: »Augen«, und »occhiali«, »Brille«, beruht.

34.30 **Brill auf der Nas':** Wendung aus William Shakespeares (1564–1616) *Wie es euch gefällt* (1598), übersetzt von August Wilhelm Schlegel (1767–1845) und Ludwig Tieck (1773–1853). In II,7 heißt es: »Das sechste Alter macht den besockten hagern Pantalon, / Brill' auf der Nase, Beutel an der Seite; / Die jugendliche Hose, wohl geschont, / 'ne Welt zu weit für die verschrumpften Lenden; / Die tiefe Männerstimme, umgewandelt / Zum kindischen Diskante, pfeift und quäkt / In seinem Ton.« Die Brille gehört zur Beschreibung des Pantalone, der Figur des geschäftigen Bürgers und geizigen Alten in der ital. Commedia dell'Arte.

35.13 **Perspektive:** Mitunter ausziehbare monokulare Fernrohre. Das erste Doppelfernrohr wurde erst 1822 hergestellt.

36.5 **Tre Zechini – drei Dukat:** (ital.; eigentl. »zecchini«) »Drei Zechinen, drei venezianische Goldstücke«. Die Zecchini wurden seit 1284 in Venedig geprägt und später Dukaten genannt. Dukat ist eine Zwischenform des aus dem mittellat. »ducatus«: »Herzogtum«, abgeleiteten ital. »ducati« und dem dt. Lehnwort Dukaten. Dukaten wurden ursprünglich wie die Zechinen in Venedig geprägt und waren seit 1559 dt. Reichsmünze.

37.8–9 **Liebesstern:** Venus – der Morgenstern, der mit dem gefallenen Engel gleichgesetzt wurde – ist in der röm. Mythologie die Göttin der Liebe.

38.4 **Einschnüren:** Olimpia trägt nach damaliger Mode ein Stütz- oder Schnürmieder, ein Korsett, in das der Oberkörper figurbetonend eingeschnürt wird. Das Korsett wirkt bewegungshemmend und unterstreicht das steife Gebaren der Trägerin.

38.7–8 **Das Konzert begann.:** Musizieren diente häufig dem Vorzeigen heiratsfähiger Töchter. Olimpias Haltung erinnert an die mechanische Harmoniumspielerin der Schweizer Uhrmacher Pierre und Henri-Louis Jaquet-Droz.

38.20 **Kadenz:** Musikalische Schlussimprovisation des Solisten. Am Ende einer Arie virtuose Improvisation des vorletzten Tons.

40.12 **Legende von der toten Braut:** Anspielung auf Goethes im *Musen-Almanach auf das Jahr 1798* erschienene Ballade *Die Braut* *von Corinth*: »Aber, ach! berührst du meine Glieder, / Fühlst du schaudernd, was ich dir verhehlt. / Wie der Schnee so weiß, / Aber kalt wie Eis / Ist das Liebchen, das du dir erwählt.« Die Sage von dem Jüngling, der des Nachts von seiner toten Braut aufgesucht wird, ist weit verbreitet. Friedrich Laun (1770–1849) legte den Sagenstoff seiner Novelle *Die Todtenbraut* zugrunde. Die Novelle eröffnete den zweiten Band der gemeinsam mit Johann August Apel verfassten vierbändigen Erzählsammlung *Gespensterbuch* (1810–1812), die eine neue Mode der Gespenster- und Sagenliteratur förderte.

zum Leben zu erwarmen: Die Belebung der »schönen Bildsäule« Olimpia durch Nathanaels Kuss fußt auf der griech. Pygmalionsage, in der sich der Bildhauer Pygmalion in eine von ihm geschaffene Bildsäule verliebt, die er durch einen Kuss zum Leben erweckte. 40.14–15

Hieroglyphe: Modewort der Zeit spätestens seit der Entdeckung des Steins von Rosette, auf dem ein Priesterdekret aus dem Jahr 196 v.Chr. in Hieroglyphen und demotischer Schrift mit griech. Übersetzung eingemeißelt ist. Bis zu ihrer Entzifferung durch Jean François Champollion (1790–1832) im Jahr 1821 waren Hieroglyphen Gegenstand lebhafter Spekulation. Als Geheimzeichen ist sie einer der Kernbegriffe der romantischen Dichtung von Novalis (1772–1801) bis Joseph von Eichendorff (1788–1857). Mit ihr werden Elemente einer Bildsprache bezeichnet, die fähig ist, dem Eingeweihten tiefste Geheimnisse auszudrücken. Die Zauberzeichen sollen, richtig gelesen, dem wahren poetischen Gemüt die Welt erklären. Die stupiden Laute Olimpias und das Geflecht aus radikaler Subjektivität, Künstlertum und Wahnsinn Nathanaels, der sich als poetisches Gemüt sieht, werden als Kritik Hoffmanns an der ästhetischen Position einer überspannten, schwülstigen Romantik ausgelegt. 42.13

Wahlverwandtschaft: Begriff aus der frühen Chemie. Eine einfache Wahlverwandtschaft besteht, wenn zu der Verbindung zweier Stoffe, von denen einer oder beide bereits anderweitig gebunden sind, ein dritter Stoff stößt, der eines der Elemente loslöst und an sich bindet. In Goethes Roman *Wahlverwandtschaften* (1809) wird das chemische Modell Gleichnis für zwischenmenschliches Verhalten. 42.28

42.33 **Sonetten, Stanzen, Canzonen**: Das Sonett besteht aus 14 jambischen Versen in zwei Quartetten und zwei Terzetten. Die Stanze ist eine aus dem Ital. stammende Strophenform mit acht Zeilen elfsilbiger Jamben. Die Canzone, von ital. »canzone«: »Lied«, ist eine aus der provenzal. Troubadordichtung stammende, besonders in der ital. Renaissance verwendete lyrische Gattung mit fünf bis zehn gleichartigen Strophen und einer kürzeren Abschlussstrophe, die Geleit genannt wird. Seit dem 18. Jh. bezeichnet die Canzone ein einstimmiges volkstümliches Lied.

44.21 **Peipendreher**: Die dt. Gaunersprache, das Rotwelsch, nennt einen Betrüger »Pfeifendreher« und gleichbedeutend dazu »Piependreher« und »Püppchenwickler«.

44.35 **Phiolen, Retorten**: Phiolen sind kugelförmige Flaschen mit langem Hals. Retorten sind birnenförmige Glasgefäße mit langem gebogenem Hals, die zur Destillation benutzt wurden.

45.22 **Wahnsinn**: Vgl. Kommentar S. 63 ff.

46.23 **Teeisten**: Spöttische Bezeichnung für Teilnehmer einer künstlerischen Teegesellschaft.

46.31 **Sapienti sat!**: Abk. für lat. »dictum sapienti sat est«: »Dem Wissenden genügt es«. Geflügeltes Wort aus Titus Maccius Plautus' (≈250–184 v.Chr) Komödie *Die Perser*, das sowohl ernsthaft als auch satirisch benutzt wird.

48.8–9 **Anklang an die Vergangenheit**: Die zeitgenössische Medizin warnte davor, die Genesung der Patienten durch seelische Erschütterungen wie die Erinnerung an das den Wahnsinn auslösende Erlebnis zu gefährden.

48.16 **Zur Mittagsstunde gingen sie**: In der in Ludwig Tiecks *Phantasus* (1812–1816) eingebetteten Novelle *Liebeszauber* wird Emil von einer furchtbaren Alten gleichfalls zum Wahnsinn getrieben. Er jagt seine Braut mit dem Dolch auf eine Galerie: »Jetzt war sie am Ende des Ganges, sie konnte nicht weiter, er erreichte sie. Die maskirten Freunde und die graue Alte waren ihm nach gestürzt. Aber schon hatte er wüthend ihre Brust durchbohrt, und den weißen Hals durchschnitten, ihr Blut strömte im Glanz des Abends. Die Alte hatte sich mit ihm umfaßt, ihn zurück zu reißen; kämpfend schleuderte er sich mit ihr über das Geländer, und beide fielen zerschmettert zu den Füßen der Verwandten

nieder, die mit stummem Entsetzen der blutigen Scene zuge-
schaut hatten« (*Phantasus*. Erster Band. Erste Abtheilung, Berlin 1812, S. 313 f.).

Da standen die beiden Liebenden: Ab hier hat die Handschrift 48.24
einen etwas anderen Schluss: »Da standen die beiden Liebenden
Arm und Arm auf der Gallerie, und schauten hinein in ferne
duftige Waldungen, und verfolgten mit seehnsüchtigem blick
wie der Strom in silbernen Windungen sich durch die blumen
flure schlängelte ›Was mag das für ein kleines graues Thürmchen
(zuerst: Haus, dann: Häubchen) seyn, was dort ligt – ach – es
bewegt sich ja – schau doch hin Nathanael? – Nathanael faßte
mechanisch nach der Seitentasche – er fand Coppolas Perspektiv – er schaute seitwärts, Clara stand vor dem Glase. – Da glühte
und zuckte es in seinen Pulsen und Adern – Feuerströme glühten
und sprühten durch die rollenden Augen – gräßlich brüllte er auf
wie ein gehetztes Thier, aber dann sprang er hoch in die lüfte und
schrie in schneidendem Ton, entsezlich dazwischen lachend:
Holzpüpchen dreh' dich – Holzpüpchen dreh dich – Und mit
gewaltiger Kraft faßte er Clara und wollte sie hinabschleudern,
aber Clara krallte sich in verzweifelter TodesAngst fest an das
Geländer – Lothar hörte ihr Geschrey, eine gräßliche Ahnung
durchflog ihn – er rannte herauf – die Thüre der zweiten Treppe
war verschloßen, Claras Jammergeschrey hallte – stärker – und
stärker Unsinnig vor Wuth und Angst schlug er dagegen – sie
wich seinem verdoppelten Stoßen – Matter tönten Clara's Laute – herauf immer fort herauf – auch die Thür zur Gallerie war
verschloßen – Hülfe – Rettung – Hülfe Hülfe – So erstarb beinahe schon Claras Rufen – Sie ist hin – Sie ist hin – gemordet vom
Rasenden – so schrie Lothar – die Verzweiflung gab ihm Riesenkraft – mit voller Stärke gegen die Thüre drängend riß er sie aus
den Angeln – Gott im Himmel! – Nathanael hatte Claras rechte
Hand losgemacht vom Geländer sie hing mit ⟨?⟩ Leibe heraus ins
Freye – das Kleid flatterte in den Lüften – Aber in dem Augenblick faßte mit der einen Hand Lothar die Schwester und schlug
mit geballter Faust dem rasenden Nathanael ins Gesicht daß er
zurückprallte – Mit der Schnelligkeit des Blitzes rannte Lothar
die ohnmächtige Clara in den Armen herab. Sie war gerettet –
Nun raste Nathanael herum auf der Gallerie, da rief eine wider-

wärtige Stime von unten herauf: Ey Ey – Kleine Bestie – willst
Augen machen lernen – wirf mir dein Holzpüpchen zu! – wirf
mir dein Holzpüpchen zu – es war das klein grau Thürmchen,
das Clara geschaut – aber nicht ein Thürmchen – der Advokat
Coppelius stand unten am Thurm und schaute und rief so her-
auf – Nathanael erblickte den Coppelius und lachte: ha ha ha –
Sköne Oke – Sköne Oke – Kauf sie dir ab – Kauf sie dir ab –
Komm' schon – Komm schon! – Und damit sprang er über das
Geländer! –

Als Nathanael mit zerschmettertem Gehirn auf dem Steinpflaster lag, war Coppelius unter den Menschen, die sich um den
Todten versammelten, verschwunden.

Nach mehreren Jahren will man in einer entfernten Gegend Clara gesehen haben, wie sie mit einem freundlichen Manne Hand
in Hand vor der Thüre eines schönen Landhauses saß, und vor
ihr her zwey muntre goldlockigte Knaben spielten. Es wäre daraus zu schließen, daß sie das ruhige häusliche Glück noch fand,
das ihrem heitern, lebenslustigen Sinn zusagte, und das ihr der
im Innern zerrißene Nathanael niemahls gewähren konte«
(*Sämtliche Werke*, Bd. 3, S. 976 ff.).

48.35 **gräßlich brüllte er [...] ein gehetztes Tier**: In der zeitgenössischen Psychiatrie war der Vergleich zwischen Wahnsinnigem
und Tier statthaft, da mit dem Verlust des Verstands der Mensch
den entscheidenden Vorzug vor dem Tier verloren habe. Der
Zustand des Wahnsinns setzt ihn mit dem bloß trieb- und ins-
tinktgeleiteten Tier gleich.

49.24 **Nun raste Nathanael herum**: Gegenüber der Druckfassung un-
terscheidet sich das Ende der Handschrift (vgl. Erl. zu 48,24). In
der Druckfassung spricht Coppelius nicht zu Nathanael. So
bleibt unbestimmt, ob Nathanael auch hier seinem Wahn unter-
liegt.

Suhrkamp BasisBibliothek
Text und Kommentar in einem Band

»Die Suhrkamp BasisBibliothek hat sich längst einen Namen gemacht. Als ›Arbeitstexte für Schule und Studium‹ präsentiert der Suhrkamp Verlag diese Zusammenarbeit mit dem Schulbuchverlag Cornelsen. Doch nicht nur prüfungsgepeinigte Proseminaristen treibt es in die Arme der vielschichtig angelegten Didaktik, mit der diese unprätentiösen Bändchen aufwarten. Auch Lehrer und Liebhaber vertrauen sich gerne den jeweiligen Kommentatoren an, zumal die Bände mit erschöpfenden Hintergrundinformationen, Zeittafeln, Entstehungsgeschichten, Rezeptionsgeschichten, Erklärungsmodellen, Interpretationsskizzen, Wort- und Sacherläuterungen und Literaturhinweisen gespickt sind.«
Frankfurter Allgemeine Zeitung

Jurek Becker. Jakob der Lügner. Kommentar: Thomas Kraft. SBB 15. 351 Seiten

Thomas Bernhard. Erzählungen. Kommentar: Hans Höller. SBB 23. 171 Seiten

Bertolt Brecht. Leben des Galilei. Kommentar: Dieter Wöhrle. SBB 1. 191 Seiten

Bertolt Brecht. Mutter Courage und ihre Kinder. Kommentar: Wolfgang Jeske. SBB 11. 185 Seiten

Georg Büchner. Lenz. Kommentar: Burghard Dedner. SBB 4. 155 Seiten

NF 279/1/1.02

Hermann Hesse. Der Steppenwolf. Kommentar: Heribert Kuhn. SBB 12. 306 Seiten

Hermann Hesse. Unterm Rad. Kommentar: Heribert Kuhn. SBB 34. 220 Seiten

E. T. A. Hoffmann. Das Fräulein von Scuderi. Kommentar: Barbara von Korff-Schmising. SBB 22. 149 Seiten

E. T. A. Hoffmann. Der goldene Topf. Kommentar: Peter Braun. SBB 31. 157 Seiten

Ödön von Horváth. Geschichten aus dem Wiener Wald. Kommentar: Dieter Wöhrle. SBB 26. 168 Seiten

Ödön von Horváth. Jugend ohne Gott. Kommentar: Elisabeth Tworek. SBB 7. 210 Seiten

Ödön von Horváth. Kasimir und Karoline. Kommentar: Dieter Wöhrle. SBB 28. 147 Seiten

Franz Kafka. Der Prozeß. Kommentar: Heribert Kuhn. SBB 18. 352 Seiten

Franz Kafka. Das Urteil und andere Erzählungen. Kommentar: Peter Höfle. SBB 36. 150 Seiten

Franz Kafka. Die Verwandlung. Kommentar: Heribert Kuhn. SBB 13. 134 Seiten

Rainer Maria Rilke. Die Aufzeichnungen des Malte Laurids Brigge. Kommentar: Hansgeorg Schmidt-Bergmann. SBB 17. 304 Seiten

NF 279/4/1.02

Hermann Hesse
Demian
Kommentar: Heribert Kuhn
SBB 16. 220 Seiten

»Heribert Kuhns Kommentar erweist sich als gehaltvolle, fordernde und inspirierende Anleitung zum Verständnis des Romans. Als *die* Leseausgabe für Studierende kann dieser Band daher unbedingt empfohlen werden.«
Literatur in Wissenschaft und Unterricht

Hermann Hesse
Der Steppenwolf
Kommentar: Heribert Kuhn
SBB 12. 306 Seiten

»... Der 50 Seiten umfassende Kommentar allein lohnt die Anschaffung dieses Textes. Er ist auch ideal für eine Klassenlektüre.« *lesenswert*

Rainer Maria Rilke
Die Aufzeichnungen des Malte Laurids Brigge
Kommentar: Hansgeorg Schmidt-Bergmann
SBB 17. 300 Seiten

»Den größten Teil des Kommentars machen jedoch Wort- und Sacherklärungen aus; da sie nicht stichwortartig im Telegrammstil gehalten sind, erklären sie vorzüglich auch komplexe Zusammenhänge.«
Neue Zürcher Zeitung

NF 320/2/5.01

Annette von Droste-Hülshoff
Die Judenbuche
Kommentar: Christian Begemann
SBB 14. 136 Seiten

»Mit der *Judenbuche* hat der Suhrkamp Verlag eine der zugleich berühmtesten und rätselhaftesten Erzählungen des 19. Jahrhunderts in seiner Reihe BasisBibliothek vorgelegt und mit Christian Begemann einen ausgewiesenen Fachmann für die Literatur der Epoche zur Erstellung des Kommentars gewonnen. ... Der vorliegende Band entspricht den Anforderungen, die man an einen ›Arbeitstext für Schule und Studium‹ stellt, vorbildlich. Christian Begemanns hervorragender Forschungsüberblick und sein ebenso hochaktueller wie voraussetzungsreicher Blick auf die Erzählung dürften allerdings wohl erst im universitären Rahmen angemessen gewürdigt werden.«
Literatur in Wissenschaft und Unterricht

»Dieser zeitlose Novellenklassiker zwischen Biedermeier und Realismus ist hier vorzüglich für eine vertiefte Oberstufenarbeit ediert. Der Kommentar bietet zuverlässiges Material zu Zeithintergrund, Stoff, Entstehungsgeschichte und Rezeption, der aktuelle Forschungsüberblick behandelt verschiedene Deutungsansätze, Erzählstrategien und Fragen der Gattung und Epochenzugehörigkeit.« *Lesenswert*

NF 334/2/1.02

Johann Wolfgang Goethe
Die Leiden des jungen Werthers
Kommentar: Wilhelm Große
SBB 5. 221 Seiten

»Auch wer sein zerfleddertes Werther-Bändchen seit
Schüler-Tagen mit sich schleppt, wird Platz suchen für die
neuen Bände der Suhrkamp BasisBibliothek – und wird
die Kinder beneiden, die gleich mit einem Lern-Angebot
überrascht werden, das man sich früher erst mühsam
beim Studium zusammenklauben mußte.« *Die Zeit*

Rainer Maria Rilke
Die Aufzeichnungen des Malte Laurids Brigge
Kommentar: Hansgeorg Schmidt-Bergmann
SBB 17. 300 Seiten

»Den größten Teil des Kommentars machen jedoch
Wort- und Sacherklärungen zu einzelnen Stellen aus; da
sie nicht stichwortartig im Telegrammstil gehalten sind,
erklären sie vorzüglich auch komplexe Zusammenhänge.« *Neue Zürcher Zeitung*

NF 334/3/1.02

Franz Kafka
in der Suhrkamp BasisBibliothek

Der Prozeß
Kommentar: Heribert Kuhn
SBB 18. 352 Seiten

»Dieser wichtige Roman liegt hier in einer preisgünstigen, schüler- und arbeitsgerechten Ausgabe vor, die die unvollendeten Kapitel, die vom Autor gestrichenen Stellen und das Nachwort Max Brods im Anhang einbezieht. Ein Kommentar von 60 Seiten informiert zur Text- und Entstehungsgeschichte, bietet Deutungsansätze und hilfreiche Wort- und Sacherklärungen.« *Lesenwert*

Die Verwandlung
Kommentar: Heribert Kuhn
SBB 13. 134 Seiten

»Heribert Kuhns Kommentar bietet einen überaus spannenden Zugang zu Kafkas berühmter Erzählung.«
Literatur in Wissenschaft und Unterricht

»Franz Kafkas berühmte Erzählung *Die Verwandlung* gibt es jetzt in einer gut kommentierten Ausgabe. ... Unmittelbare Worterklärungen und Verständnishilfen sind gleich in der Randspalte des Textes abgedruckt. Es folgt ein Kommentarteil, der die autobiografischen Zusammenhänge erläutert, Entstehungs- und Textgeschichte darstellt und Deutungsansätze unternimmt. ... Es bleibt kaum eine Frage offen.«
Frankfurter Neue Presse

NF 337/1/1.02

Diese Ausgabe der »Suhrkamp BasisBibliothek – Arbeitstexte
für Schule und Studium« bietet nicht nur E. T. A. Hoffmanns
berühmte Erzählung *Der Sandmann*, sondern auch einen Kommentar, der alle für das Verständnis des Buches erforderlichen
Informationen enthält: eine Zeittafel zu Leben und Werk des
Autors, ausführliche Hinweise zum kulturgeschichtlichen Hin-
tergrund und den Quellen der Erzählung, die Entstehungsgeschichte, Deutungsansätze, Literaturhinweise sowie Wort- und
Sacherläuterungen. Der Kommentar ist entsprechend den neuen
Rechtschreibregeln verfasst.
Zu ausgesuchten Titeln der Suhrkamp BasisBibliothek erschei-
nen im Cornelsen Verlag Hörbücher und CD-ROMs. Weitere
Informationen erhalten Sie zum Ortstarif unter der Nummer
0180/12120 und online unter www.cornelsen.de.
Peter Braun, geboren 1960, ist Journalist und Autor und lebt in
Bamberg; zahlreiche Veröffentlichungen u. a. zu E. T. A. Hoff-
mann (SBB 31).

Suhrkamp BasisBibliothek 45